日常は情報戦

KAZUYA

はじめに　〜10年目ユーチューバーの成功と失敗〜

僕がＹｏｕＴｕｂｅに動画投稿を始めて、今年で10年になります。
それこそ10年前は「ユーチューバー」という呼称すら一般的ではありませんでしたが、今では老若男女に幅広く知られるようになりましたし、ＹｏｕＴｕｂｅで活躍する投稿者が、ネットから飛び出してテレビに出たり、大手企業のＣＭにまで出演する様子を見ると隔世の感があります。
10年もやっていると、相応の変化があるものです。最初は当然ゼロだったチャンネル登録者は今や67万人を数えます。僕が生まれ育った北海道帯広市の人口は約16万ですから、その数倍もありますし、今住んでいる栃木県宇都宮市の51万人よりも多い数字です。

僕自身も20代から30代になって結婚したり、拠点を移したり、いろいろと人生の変化がありました。ＹｏｕＴｕｂｅを通じて多くの人と知り合うことができましたし、また距離を取ることもありました。

ＹｏｕＴｕｂｅは僕の人生を変えてくれました。ですから本当に感謝しているのですが、一方ここ数年はＹｏｕＴｕｂｅの危険性をより認識するようになりました。詳しくは本編で書きますが、もはや社会インフラと化したＹｏｕＴｕｂｅが社会に混乱を招く要因になるのではないか……。そんな懸念がありますし、実際にいくつかの事例で人々を混乱させる要因になっています。

そうした流れに抗おうとしてみましたが、やはり僕の発信力の未熟さゆえ、ＹｏｕＴｕｂｅにおいて非常に大事なチャンネル登録者を減らす結果になりました。先ほど67万人の登録者と書きましたが、かつては74万人を数えたのです。ちなみになんと7万人も減少しています。これは帯広市の隣にある音更町の人口より多い数字です。

不倫や法律に触れるようなことをやって逮捕されるなどのスキャンダルを起こしたわけではないですが、７万人もの人がチャンネル登録を解除してしまったのです。その変化は２０２０年の末から始まっています。僕にとってのターニングポイントです。

あれ以来約2年がたちますが、僕はずーっと憂鬱なまま日々を過ごしてきました。新型コロナウイルスの蔓延で世の中が大きな影響を受けるなか、社会はよりおかしな方向に向かっているのではないかとすら思えてきます。

本書では僕自身が歩んだ10年を振り返りますが、特にここ2年の変化にスポットを当てます。こうした傾向が続くと、日本でもよからぬ事件が起きてしまうのではないか。そんな懸念を強めています。

僕の成功と失敗の話を見ていただいて、少しでも何かを考えるきっかけにしていただければと思います。

目次

第2章　ターニングポイント：２０２０アメリカ大統領選挙……53

第1章　YouTubeで人生が変わった話

◆10年やって感じるYouTubeの危険性

我々はつくづく選択肢の多い時代を生きているのだと思います。食べ物、仕事、娯楽……どの分野でも数十年前とは比べ物にならないほどの選択肢があります。食事も日本人の主食である「コメ」にこだわる必要もなく、パンでもパスタでも自由に選択できますし、肉や魚を食べなくても十分な栄養を摂ることも可能になってきました。

仕事もそうです。もはや戦後の日本を繁栄に導いた年功序列と終身雇用モデルは崩壊しています。働き方も多様化し、そもそも会社に出勤せず、テレワークで仕事をこなす人もコロナ禍を経て多くなりました。とても便利な時代です。

テレワークの進展はインターネットがあってこそ成立するものですが、ネットを使って仕事自体の幅が広がっています。

僕自身、ネットの発展の恩恵にあずかって生きてきた人間です。

2022年の現在でも「仕事」だとは認めないという方もいるでしょうが、僕はユーチューバー（定義は幅広いですがYouTubeに動画を投稿する人、投稿して収益を得る人）という働き方を10年続けています。24歳で始めて、もう30代半ばになってしまいました。その間、ＹｏｕＴｕｂｅで動画を投稿することで収益を得て生活をしてきたのです。

最近でこそユーチューバーは社会的にも認知されてきました。僕がＹｏｕＴｕｂｅを始めた２０１３年の感覚で考えると、ここまで広がるものかと驚くばかりです。現在は登録者１００万人を超えるようなチャンネルもザラですが、当時の日本のＹｏｕＴｕｂｅ界だとチャンネル登録者が1万人もいれば一目置かれる存在でした。ところがスマホの普及が進み、ＹｏｕＴｕｂｅに多くの投稿者、視聴者が入ってきた結果、どんどんインフレが進みました。

近年はチャンネル登録者数万人、数十万人いたとしても、認知度としては微妙になってきました。それほどチャンネル数が増えたというのが大きいでしょう。僕もユーチューバーとして長くやってきましたが、知らない人も多いでしょうし、逆に新世代のユーチューバーの方を知らないということも多いです。もはや把握しきれないほどチャンネルの選択肢があるのです。ＹｏｕＴｕｂｅでチャンネル登録者１００万人を超える国内のチャンネルは、２０１７年の時点で63でしたが、２０２２年7月には４８０まで増えています。ある程度の大手でその数ですから、知らないチャンネルが多くても当然のことです。

選択肢は基本的に多いほうがいいものです。政治でもそうですが、選挙があったとして、候補者が一人の場合と複数人いる場合だと、複数のほうが選択肢があっていいでしょう。もちろん同系統の思想の候補だと選択に困りますが、違う立場の人であれば、理論上は議論も活発になってきます。

選択肢が多いということは、競争が激しいということでもあります。僕が主戦場とするＹｏｕＴｕｂｅも競争がどんどん激しくなっており、認知してもらうだけで大変なことです。そんな選択肢の多い競争の時代において、ＹｏｕＴｕｂｅは楽しさを提供してくれますが、同時に危険性を孕んでいるのではないかとも思うのです。

◆なぜKAZUYAはユーチューバーになったのか？

さて、ここから唐突に自分語りが始まります。最初から書かないと現在の僕の危機意識につながらないので、ぜひご覧いただければと思います。

僕は北海道の帯広市で生まれ育ちました。北海道といえば海の幸と認識される方が多いでしょうが、北海道は広大なため内陸部も多く存在するのです。帯広は海のない内陸部で農業が盛んな地域です。また全国で唯一の「ばんえい競馬」を開催しています。これは一般的な競馬と違い、とてつもなく大きい「ばん馬」が重いソリをひいて走るのですが、一筋縄にいかないレースが魅力ですね。コースは平坦ではなく途中に登り坂があるため、スタートから先頭を走っていた馬が急に止まったりするのです。文字で書いても伝わりにくいので、ぜひ帯広にお越しいただいて観戦していただければと思います。

そんな帯広市の高校を卒業して一度は就職することになるのですが、わずか半年程度でそこを辞めることになります。完全に「現代の若者」です、はい。

やはりまだ学生気分が抜け切らなかったし、大人になれていなかったのだろうと思います。ただ求人票と現実にはギャップがあったり、なかなかブラックなところがありました。当時の上司は「会社はそういうものだ」と言ってましたが、その手の矛盾が受け入れられなかった当時の血気盛んな僕としては、納得がいかなかったのを覚えています。

もちろん、それが会社なのだと納得して、環境に染まっていたら生きてはいけるわけですが、そうできないのが自分の悲しいところ。２０２２年の今から振り返ると、環境に抗ってよかったとは思いますが、会社からするとただの面倒な人間でしょう。

その後はフリーター生活です（今もですが……）。某レンタルビデオ店で数年間アルバイトをしました。ここでの経験は人生の教訓として今もいきています。

接客業の面白いところは人間の幅広さを見ることができる点です。ほぼ毎日くる人もいますし、上品な人からクレーマーまで、いろんな人を見ることができたのはとても楽しかったです。

個人的に面白かったのは、アダルトビデオの借り方です。10本を2泊3日で借りる猛者もいれば、借りるのが恥ずかしいのか、ほかの映画でサンドイッチしてくる人もいます。借り方は自由ですが、性格の違いがそこに出ますね。

接客業で大変なのは今も昔もクレーマーへの対処でしょう。

当然、店側の問題（例えばＤＶＤの傷によって再生不良が生じる）がありますが、新作の全然傷がないＤＶＤでも「見れない」と高圧的にクレームをつけられることもありました。おそらくＤＶＤプレーヤーの問題なのですが、それをストレートに言うと客が怒るので、慎重な対応が必要です。

クレーマーは恐ろしく怒りの沸点が低いので、対応には苦慮します。ただ腫れ物に触るような感じで、過剰に丁寧さを出したりすると、それに感づいてキレる可能性もあるので、あくまで普通の接客を丁寧にする感覚です。

全体としてみればクレーマーはごく一部です。しかし強烈ゆえに目立ってしまいますし、記憶にこびりつくのです。これはネットでも同じでいわゆるアンチ的な人は全体からすると僅かなのに、言葉が強烈すぎて目立つのです。

そんなフリーター生活を続けているうちに、僕は20歳を超えてしまいました。成人ですし自立して一人暮らしをしたいと思ったものの、アルバイトの収入は不安定もいいところです。では安定した収入を得るためにはどうしたらいいのかを考えたところ……「じゃあ就職しよう」となってしまうのです。

１回目の就職でも「自分は会社員に向いていないな」と感じていましたが、安定的な収入を得るためには「就職する」以外の発想がなかったのです。何らかのかたちで自営業とか起業をするという発想はこの時点ではありませんでした。身近にそのような起業家もいなかったですし……。

ラッキーなことに仕事はすぐに決まりました。その会社は1社目よりは長く続いたのですが、やはり「自分は会社員に向いてないな」と感じてしまいます。さらに未来の自分の姿が見えてしまったというのも、今後の人生を考える要因になりました。

当時まだ20代前半だったので、同僚は年上の人ばかりでした。そして上司がいるわけですが、あるとき給与明細がチラリと目に入ったのです。この金額を見た瞬間、「これは未来の自分だ」と思ったわけです。

大体年齢がこれくらいで給与はこれくらい、家庭環境はこうで……などと考えると急に虚しくなってきました。しかも長らく景気の低迷が続いていましたし、少子高齢化で経済は縮小していくかもしれない。そう考えると自分が上司の年齢になったときには、給与はもっと少なくなっているかもしれないということを考えてしまったのです。そして「このままでいいのか」と悩むことになります。

将来設計なんて学生時代に考えろよ、とツッコまれるかもしれませんが、自分が浅はかだったなと自省するしかありません。とにかく会社員以外で何か進むべき方向を探し始めました。

何かしたいけれども、何をしたらいいのかがわからない。

会社員時代の末期はそんな感じでした。

ターニングポイントになったのは友人の結婚です。そんなもの自分には関係ないと思われるかもしれませんね。しかし友人の結婚式といえば、何か余興をやることがあるでしょう。

友人たちと数人で余興をやることになったのですが、そこで「動画を作ったらいいんじゃないか」と言う案が出ました。当時すでにＹｏｕＴｕｂｅは盛り上がっていましたし、余興の動画もアップロードされていました。そのようなものを参考に何か作ろうじゃないかということになったのです。
ただ誰も動画なんて作ったことがありません。どう編集したらいいのか、そもそもカメラすら持っていないのです。今はスマホでもある程度の撮影はできますが、まだ当時はそこまでのカメラ性能ではなかったですし、ビデオカメラなり、機材が必要になってきます。機材に関しては友人の同僚から借りることができました。

問題は編集です。結果的に僕が担当することになるのですが、それはなぜかといえば「パソコンを持っているのは僕だけ」だったからです。安易なかたちで引き受けることになったのですが、動画編集なんてやったことがないですし、当時はまだＹｏｕＴｕｂｅで動画編集のハウツー動画も少なかった時代です。ゼロからのスタートでとても時間はかかりましたがなんとか一本の動画に仕上げることができました。今考えるとクオリティの低いものですが、結婚式の当日に流すとそれなりに好評で、やったかいがあったなと思いました。

大変ではあったものの、何かを作って、そして評価されることで「動画を作るって面白いな」となっていきます。

当時の僕はニコニコ動画のヘビーユーザーで、ＹｏｕＴｕｂｅもそこそこ見ていました。当時も今も動画を投稿しているのは素人です。ただ素人が作ったものが多くの人に見られ、市民権を得ている様子に、「自分にもできるんじゃないか」と確たる根拠もなしに思ってしまったのです。

当時人生に迷っていて、そう自分を思い込ませていたという面もあるでしょうが、友人の結婚式で動画を作った経験から、そちらに一歩踏み出そうと思ったのです。

あとで詳しく説明しますが、このころＹｏｕＴｕｂｅの収益化システムが一般人にも開放されました。それ以前はスカウト制で選ばれし者しか収益化できなかったのですが、僕が始めようかと考えていたころには広く開放されたので、再生数が伸びれば収益も得られるという状態だったのです。

そこで「動画投稿をしよう」と思い立ったはいいものの、じゃあ何をやるかが重要です。ただこれも自分の中で見えていて「政治や時事問題をやろう」と簡単に決まりました。それはなぜかといえば高校生の頃から、「何かを発信したい」と思っていたからです。

高校生時代に小林よしのり先生の『戦争論』を読んだ僕は、社会的問題に関心を抱くようになりました。このままで日本は大丈夫だろうかと高校生ながらに懸念し、何か発信したいとなったのです。ただ当時はどうしていいのかわからず……。ただ動画というツールが目の前に現れて、つながったのです。

それが2012年の話なのですが、方向性は決まったものの、やはり小心者ゆえいきなり政治の話題をやるのは怖いと思ってしまいました。政治は党派性がモロに出ますし、批判も多いのではないか……そんなことを考えて、最初は軽い話題からやって徐々に寄せていこうと考えたのです。

諸々の助走期間を経て、2013年の1月1日から『KAZUYA Channel』を本格始動させます。

◆人生が変わった2013年

当時から思っていましたが、『KAZUYA Channel』というのは安易すぎるチャンネル名ですよね。

しかしシンプルでわかりやすいですし、今となっては安易なチャンネル名は先駆者がいたりするので、逆によかったなとも思います。

チャンネルを本格始動させた僕のチャンネルのコンセプトは「政治・社会に関心を持つキッカケ」でした。日本は選挙の投票率が低く、多くの国民が政治参加を放棄しています。日本の場合はある程度生活水準が高いので、餓死したりすることは稀ですが、このまま国民が政治への関心をなくすと社会は荒廃していくことになるでしょう。

今の政治が問題だというなら、それは国民に問題があるのです。民主主義社会の日本において、政治家は国民が選びます。国民が変わらなければ、社会は変わらないのです。

まずは関心を持つことが大事です。僕が『戦争論』を読んで社会に関心を抱いたように、現代のツールである動画を通じて、何かキッカケを与えられたらいいなという思いがあります。

僕の場合、高卒なので学があるわけではなく、自分に適した動画制作は必然的に「軽くて見やすい動画」になっていきます。自分の能力を超えるものをやろうとしても無理が出るので、余計なことはしないということです。

動画を始めた当初はコンセプトに照らし合わせて、2分の軽い動画を毎日投稿していました。長い動画は「関心のキッカケ」としてはそもそもダメです。当時も政治動画はありましたが、長くて全く見る気がしませんでした。しかしYouTubeのフォーマットに合わせた手軽な動画であればどうでしょうか。ある程度見てくれる人はいるんじゃないかと予想して動画を毎日投稿していきます。

情報過多の時代です。膨大な情報からわかりやすく要点を絞って伝えること自体に需要があるのだろうと思います。これは当時も今も変わりません。

ちょうどYouTubeがどんどん盛り上がっていく時期だったというのもあり、5か月後にはチャンネル登録者が1万人を超えます。さらに2013年には10万人を超えるほどになりました。

収入的にも十分生活できる水準になりましたし、まさに2013年は私の人生が大きく変わった1年です。しかし今思い返してみると、当時は本当に荒々しかったと思います。まだ20代半ばだったというのもありますが、言葉にしてもトゲがありすぎです。チャンネル登録者が増えるにつれ、責任も大きくなるので表現や言葉遣いについては常にアップデートしているところです。近年はテレビでも「デブ」や「ハゲ」「ブサイク」のような表現は控えるようになっています。表現の自由との兼ね合いもありますが、なるべくマイルドな表現を心がけたいものです。一方でトゲのある表現だからこそ目立つというのもあります。このあたりはのちの章で語ることにしましょう。

２０１３年当時、まだユーチューバーという言葉も一般的には知られていない時代です。その段階で始めていたというのは、チャンネルが伸びた要因として非常に大きかったと思います。本当にラッキーな時期に始められたと思いますし、今、同じことをやってもチャンネルが伸びたかどうか……あまり自信がありません。

２０１４年以降、今に至るまでＹｏｕＴｕｂｅの環境は少しずつ変化しています。ＹｏｕＴｕｂｅが盛り上がるにつれて投稿者が増え、動画が増え、視聴者もどんどん増えてきました。投稿される動画も幅が広がり、そんな中で自分自身の動画を見つめ直すと、やはり情報量がもう少しあってもいいのかな、と思い始めます。当初は2分を目安に作っていた動画も少しずつ長くしていき、今では大体3～5分くらいでまとめるようにしています。のちほど説明する収益効率からすると微妙なのですが、自分の動画のスタイルとしてはこれくらいがちょうどいいのです。

あくまでもキッカケなので、変にツッコみすぎる内容ではなく、それ以上知りたい人は本を読むなり自分で調べて考えるのが大事なのです。重要なのは僕の信者を増やすことではなく、考える人を増やすことなのです。

◆YouTubeの収益システム

ここでYouTubeの収益化について突っ込んだ説明をしようと思います。

ユーチューバーはYouTubeに動画を投稿することによって収入を得ています。先ほど触れたように、かつてはYouTube側からのスカウト制で収益対象になった時代もありましたが、今は広く開放され、条件を満たせば誰でも収益化が可能です。

その条件とは「チャンネル登録者が1000人以上」かつ「公開した動画の直近12か月

の総再生時間が４０００時間以上」あることです。この条件を満たすと収益化への道が開け、再生数に応じて広告収入を得ることができるのです。


広告収入とはどのようなものでしょうか？　皆さんがＹｏｕＴｕｂｅを見る際、動画が始まる前に広告を見たことがあると思います。または動画が終わった後にも広告が出たり、モノによっては途中で何度か広告が表示されます。スキップできたり、できなかったり、いい場面で広告が出ると「くそっ！」と怒りたくなった経験はあるあるだと思います。

広告は主に企業等が出しているのですが、広告費を管理するＧｏｏｇｌｅは、表示回数によって投稿者にも広告収益の一部を分配しているのです。クリエイターが作るコンテンツがあるからこそＧｏｏｇｌｅも収益を得ることができます。ですからクリエイターにもしっかり分配を行うことでＹｏｕＴｕｂｅを盛り上げていったのです。

これは非常によくできたシステムで成功例でしょう。僕が動画投稿を始めた２０１３年当時は「１０００人」も「４０００時間」の条件もありませんでした。だからこそってクリエイターがＹｏｕＴｕｂｅに動画を投稿しだしたのです。このころはニコニコ動画もそれなりに盛況で、２大動画投稿サイトといってもよかったのですが、収益化の道が拡大されてから、ニコニコメインで活動していたクリエイターが、ＹｏｕＴｕｂｅをメインにするという現象が現れます。

これは動画投稿サイトにとっては死活問題です。クリエイターがいなくなるということは、投稿される動画が少なくなるということです。となると視聴者も増えません。新しい動画が投稿され続けてこそ、動画サイトは盛り上がっていくものです。ニコニコにも「クリエイター奨励プログラム」という収益化の道があるのですが、ＹｏｕＴｕｂｅに比べて少し煩雑であるという側面がありました。

その後、ニコニコ動画は少しずつ衰退していくことになりますが、現在でも根強い人気があります。ニコニコの画面上に流れるコメントシステムはとても面白いもので、投稿する側としていつも楽しませてもらっています。また視聴者が動画に「タグ」をつけることができ、そのタグで遊ぶのもまた面白いものです。このシステムゆえに、ニコニコ動画は「ツッコミどころを作る」ことが大事です。コメントが増えるとニコ動内におけるランキングも上がりやすくなるので、投稿者としては多くのコメントを得たいわけです。ですからあえてツッコミどころを作ることで、視聴者にコメントでツッコんでもらえば、コメントも増えるし笑いにもなります。

ニコニコ動画は投稿者と視聴者による共同作業によって面白さが飛躍的に増していきます。究極面白くない動画でも、コメントでいじられることによって面白い動画に変化していくのです。一方でＹｏｕＴｕｂｅはシステムが違うので、ツッコミどころを作ったうえで自己完結するパターンが多いように思います。ボケに対して字幕でツッコんだり、効果音で落としたりします。別にニコニコも同じようなパターンでもいいのですが、自分でツッコミを入れると、得られるコメントは「ｗｗｗ」のような反応が増えます。あえて自己ツッコミをしないことで、独創的な視聴者のツッコミを得られるので、投稿者としてはそれが楽しみだったりします。

ＹｏｕＴｕｂｅは収益化システムによって多くのクリエイターを獲得しましたが、同時に収益化したために問題も生じてきました。文字が流れるだけの雑な動画が大量に溢れたのです。それでいてタイトルは過激で目を引くものだったりするので、再生数が伸びてしまいます。そんな動画でも収益が得られるので、効率を上げて稼ぐために増えていったのでしょう。その結果「１０００人」と「４０００時間」の縛りが導入されることになります。

雑な動画だと、突発的に再生数が増えたりすることはあれど、チャンネル登録者は増えません。そのような投稿者を排除するために必要な措置だったのだろうと思います。

◆広告収入を効率化する方法

広告収益において大事なのは「再生数」と「再生時間」です。

チャンネル登録者が多いと収益も多いかといえば、一概にそうとは言えないのです。もちろんチャンネル登録者が多ければ、その登録者のフィードに動画が更新されるたびに載るため、視聴してもらえる可能性が上がります。なのでチャンネル登録者を増やすのは大事ですが、収益という点に絞って考えると登録者数よりも動画の「再生数」と「再生時間」なのです。

近年、「長い動画が増えたな」と感じたことはありませんか？

10分以上は当然として、長いものだと1時間前後のものが結構多く見受けられます。こうした傾向は広告収益の効率化と密接に関係があるのです。

ＹｏｕＴｕｂｅでは現在、８分以上の動画を投稿すると自分で広告ポイントを設定できるシステムがあります。それ以下の短い動画では広告はＹｏｕＴｕｂｅ側にお任せになってしまうのですが、長い動画だと広告を含めてブランディングが可能です。

例えば30分程度の動画を作ったとして、場面転換の演出シーンで広告を設定するといった、テレビ的な手法も可能になります。また、広告ポイントを一つだけでなく、複数設定することができます。といっても10分間の動画に１００の広告ポイントを設定したところで全部に広告が出るということではありません。あくまで適度な設定じゃないとダメなのです。

長い動画であれば、間隔をあけつつ複数の広告ポイントを設定することができます。それが再生されて、視聴者が長く見てくれれば、複数回の広告が流れるので収益的にもおいしいのです。

ポイントをまとめて平たくいえば、収益を最大化するには「長い動画を長く見てもらう」のが大事だということです。もちろん長い動画といっても冗長なものはＮＧです。視聴者はシビアなので、露骨な引き延ばしをしていると、そのうち愛想をつかして離脱することになるでしょう。

収益の効率化の話をしてきましたが、僕自身はどうかといえば、この法則に逆行するような動画が多いですね。今でも3～5分くらいの短めの動画が主体ですし、たまに長い動画を作りますが、せいぜい週一程度です。ですから収益的には効率が悪いのですが、個人的に短い動画のほうが好きなので、今後も続けていきたいと思います。

さらに自分にどうこうできる問題ではないのですが、広告収益には「いい時期」があります。だいたい3月や12月は広告単価が高めになる傾向があり、仮に同じ再生数の水準だとしてもほかの月に比べて全体の広告収益は多くなります。

企業の決算の都合などで広告費を出しやすいのか、競合して広告単価が上がるのです。その結果、ユーチューバーに入ってくる広告収益もほかの月より多めになります。

この仕事をしていて、あまり安定感はないなというのが10年間の感想です。広告単価の違いから、あまり動画の調子がよくなかった月でも、思ったより収入が多かったり、逆に再生数はかなり伸びたのに、そこまで収入が伸びなかったり……。チャンネルの規模感によりますが、小規模なチャンネルで数万円、中規模で数十万円、大規模だと数百から数千万円単位で月々の収益が変わってくるでしょう。毎月同じくらいというのは基本的にありません。

◆収益の道は多角化している

広告収益はユーチューバーにとってとても重要なものです。

ただしいつまで続くかはＧｏｏｇｌｅのサジ加減によるので、投稿者側としては恐怖感もあります。特にＹｏｕＴｕｂｅの広告収益一本槍ではリスクがつきまといます。もし視聴者が減ってしまったら、もしチャンネルが突然消されてしまったら、もし収益化が突然ストップしてしまったら……そう考えるだけで恐ろしくなります。

しかしＹｏｕＴｕｂｅは常に進化しています。今は広告収益以外にいろいろな収益化の手段が出てきているのです。

まずは「メンバーシップ」です。これは近年はやりのサブスクリプションの仕組みで、月額課金で視聴者にメンバーになってもらうというものです。メンバー特典をさまざまに設定することができ、メンバー限定で動画を公開したり、限定の生放送をしたりすることができます。メンバーシップの料金については6000円までは各々が設定できますが、その多くは2000円未満でしょう。当然ですが金額の一部は、システムを提供しているGoogleに差し引かれるにせよ、継続的に課金してくれる視聴者がいれば安定的な収益になります。

似たようなシステムはニコニコ動画も提供しており、このあたりは好みが分かれるところです。投稿者の視点で言わせてもらうと、定額サービスに加入してくれる人が一定数いると、精神的な安定感がまるで違います。広告収益と違って、ある程度金額が読めるので、安心して動画制作に打ち込むことができます。不安定な業界ゆえに、支えてくれるファンの存在には常に助けられています。

次は「スーパーチャット」を紹介します。

スーパーチャットは「スパチャ」と略されることも多いですが、要は「投げ銭」を交えたコメントのシステムです。あらかじめ作っておいた動画を生放送風に配信する「プレミア公開」のときや、生放送をする際にスーパーチャットを使うことができるのですが、最大5万円まで視聴者が投稿者に投げ銭することができます。

通常ＹｏｕＴｕｂｅの生放送チャット欄は、コメント数が多くなると一気に流れてしまい、配信者のほうも拾えないのです。しかしスーパーチャットで投稿したコメントは色つきで目立って表示されるので、投稿者が拾いやすくなります。また、金額によって目立って表示される時間が変わるため、どうしても読んでほしいコメントであれば、金額を多く入れる必要が出てきます。

スーパーチャットは時にとんでもない金額が飛び交うこともあります。それこそ累計で億単位になったVチューバーもいて、すごい時代になったと思っています。当然ですが、スーパーチャットも一部はＧｏｏｇｌｅに差し引かれます。仕方ないですね。

投げ銭機能でいうと、「スーパーサンクス」も最近実装されました。これはスーパーチャットと違い、生放送やプレミア公開された動画ではなく、通常の動画に投げ銭をするというものです。何かためになった動画にいくらか投じるような感覚です。

最近は「ＹｏｕＴｕｂｅ Ｐｒｅｍｉｕｍ」に入会するユーザーも増えてきたと思います。ＹｏｕＴｕｂｅといえば、基本的には無料で見ることができるのですが、これまで説明したように動画の途中で広告が流れます。しかし「ＹｏｕＴｕｂｅ Ｐｒｅｍｉｕｍ」に加入すると広告が表示されなくなります。ＹｏｕＴｕｂｅのヘビーユーザーであれば入っておいて損はないでしょう。僕もサービスを開始してすぐに加入していますが、とても快適です。さらに、動画がダウンロードできたり、オリジナルコンテンツを見ることができたりもします。お値段は月々１１８０円からです。

「ＹｏｕＴｕｂｅ Ｐｒｅｍｉｕｍ」を開始して以降、視聴者さんから「プレミアムに加入したら、ユーチューバーは収益的に大丈夫なのか？」と問われたことがあります。確かに広告が表示されないわけですから、収益にならないのではないかと思うのが自然です。しかしＹｏｕＴｕｂｅも考えていて、プレミアム加入者が見た動画については、その加入料から分配金が投稿者に支払われています。

さらに近年はＴｉｋＴｏｋに対抗するため、ＹｏｕＴｕｂｅもショート動画に力を入れています。長い動画で覇権を握っているのに、短い動画も制覇しようとするあたり、実に貪欲です。

ショート動画はスマホに合わせた縦画面の動画で時間としては1分未満です。僕もショート動画を数十本作ってみたのですが、一般の動画に比べて収益性で圧倒的に劣ります。その代わり再生数は突然伸びることがあります。ただそれでも収益的には……微妙です。そこでショート動画を継続して投稿する投稿者にはＹｏｕＴｕｂｅが報奨金を出しています。

ここまでの説明はＹｏｕＴｕｂｅのシステムを使った収益化の仕組みでしたが、直接スポンサーについてもらうパターンもあります。

何か新製品が出るタイミングで、ユーチューバーが企業から依頼を受けて宣伝のための動画を作るのです。ＹｏｕＴｕｂｅは何かの商品を紹介する動画も盛んですし、僕自身、何かを買うときはまずＹｏｕＴｕｂｅで調べるくせがあります。

このようなパターンはかなりの効果が見込めるでしょう。例えばカメラに関する動画を投稿している人気のユーチューバーに、新製品のカメラやレンズを紹介してもらえば、もともとカメラに興味がある人も見ているので、売れる可能性は高くなります。テレビや新聞のように、厳密に購買層にリーチできない媒体に比べ、より効果が見込めるでしょう。

ただ当然ですが、「商品が良いもの」というのが大前提です。ユーチューバーはスポンサー動画だからと変に持ち上げたりすると反発を食らいかねないので、レビューも割と正直にやる傾向があります。もし問題点が大きくピックアップされてしまうと、売り上げ的には微妙になってしまうでしょう。

ＹｏｕＴｕｂｅを飛び出して仕事をするパターンもあります。最近だとＨＩＫＡＫＩＮ氏やはじめしゃちょー氏らがテレビＣＭに出たり、番組に出演したりしていますし、仕事の幅も広がってきました。人気になるとだんだん仕事をさばけなくなってくるので、ユーチューバーの事務所も存在します。

しかし事務所はユーチューバーによって考えが大きく異なるところで、事務所に入ってサポートを受けるのが合う人もいれば、事務所に入ったけれどサポート体制に対する不満や一部収益を事務所に収めることが割に合わないと感じて出ていく人もいます。

ここまで早足で説明してきましたが、現在はＹｏｕＴｕｂｅだけでも幅広い収益化の道が開かれていますし、ＹｏｕＴｕｂｅを起点にほかの仕事を得る場合もあるのです。ＹｏｕＴｕｂｅに全てを依存すると収入が不安定だからこそ、別の収入源を確保しておくことが継続的な動画投稿のためにも大事になってきます。

◆もはや「好きなことで、生きていく」ことができないＹｏｕＴｕｂｅ

２０１４年、ＹｏｕＴｕｂｅは「好きなことで、生きていく」というキャッチコピーを使ったＣＭを制作しました。ＨＩＫＡＫＩＮ氏、マックスむらい氏、バイリンガールちか氏らを起用し、渋谷の駅前にもデカデカと広告が掲示してあったことを記憶しています。ＹｏｕＴｕｂｅ、そしてユーチューバーという存在が徐々に認知されつつあった時期で、投稿者も増えていきました。

このＣＭではＹｏｕＴｕｂｅで好きなことをやって、生きていくことができるんだという選択肢を示しています。これはとても大事なことで、ＹｏｕＴｕｂｅ活動をするうえで大事なのは継続することです。とにかく定期的に動画を上げ続けることで、視聴者に気づいてもらい、認知してもらい、そして継続的に試聴してもらうことが重要なのです。

継続させるには、自分にとって楽しいこと、興味あるジャンルやテーマでやっていかないと続かないでしょう。だからこそ「好きなことで、生きていく」はいいフレーズだと思う一方で、2022年のＹｏｕＴｕｂｅ業界で考えてみると、果たして皆、好きなことをしているのだろうか、と思うのです。

2014年当時に比べると、圧倒的に競争が激しくなりました。投稿者は年々増える一方なのですが、視聴者である日本語話者がそれに比例して増えていくわけではありません。超高齢社会を迎えた日本では、どこかで必ず頭打ちになるのです。

となると競争が激しくなるのは当然で、ほかの投稿者と視聴者の時間の奪い合いになってきます。それでいて先ほど説明したように、一本あたりの動画時間は長くなる一方なので、より熾烈な競争が繰り広げられていきます。

2020年からの新型コロナウイルスの流行は、より一層ＹｏｕＴｕｂｅの競争を激化させる要因になりました。繰り返される緊急事態宣言下での自粛生活、感染や濃厚接触による隔離措置で、一般人だけでなく芸能人もテレビで仕事ができなくなってしまいました。そこで多くの芸能人がＹｏｕＴｕｂｅに参入してきたのです。一般人にもコロナ禍でチャンネルを始める人は多かったでしょう。だが、すでに一定程度のファンを抱える芸能人が多数参入したものだから、素人ユーチューバーからすると大変です。

とはいっても、芸能人に全てを奪われるというわけではありません。ＹｏｕＴｕｂｅの視聴者にはさまざまなニーズがあり、素人のチャンネルを見たい人もいるのです。例えるなら、芸能人はメジャー、ユーチューバーはインディーズです。ただ近年はこの垣根がなくなってきており、インディーズのはずのユーチューバーがメジャーなテレビに出たり、メジャーのはずの芸能人がインディーズのユーチューバー以下の再生数ということも普通にあります。ただチャンネル数自体は増えているので、単純に競争が激しくなったというのが近年の大きな変化でしょう。

それだけ激しい競争下にあるわけですから、「好きなこと」だけでは無理が出てきます。

ベースは「好きなもの」だとしても、視聴者のニーズを探りながら、再生数が稼げるものに注力せざるを得ないのです。

そこにニーズがあるなら、破綻した関係も続けないといけない場合が出てきます。例えばカップルユーチューバーが別れているのにカップルを装って動画投稿を続けたりするパターンがあります。動画内では視聴者のニーズを満たすために付き合っているフリを続けるのですが、大体この手のパターンはバレてしまうものです。視聴者には相当鋭い人がいて、小さな変化も見逃さないのです。

しかしＹｏｕＴｕｂｅをビジネスとして捉えるのであれば、選択肢としてはアリでしょう。偽りのカップルではありますが、ドラマを演じているようなものです。ただそれを隠していると結局視聴者の不興を買うので、正直に発表するのがいちばんなのでしょうね。

そして激しい競争にさらされると、不安になるのが人間の常です。ＹｏｕＴｕｂｅの場合、チャンネルの将来に対する不安だけでなく、いわゆるアンチからのコメントで傷ついて精神を病むパターンがあります。うつ病になったり、情緒不安定で迷惑行為に走ったり……ネットとの付き合い方はよく考えないと、自分を破滅させるだけになってしまいます。

このあたりはあとの章で書くことにしましょう。

◆ユーチューバーの職業病

ユーチューバーといっても専業でやっている人、兼業でやっている人などさまざまです。

僕は専業でほぼ10年なので、もうすっかりＹｏｕＴｕｂｅが生活に染みついてしまいました。ただし続けていると職業病ともいえる事象が出てきます。

いちばんはなんといっても「動画を作らないと落ち着かない」ことです。

基本的にほぼ毎日動画を作り、おそらく３日以上動画をあけたことがない（多分）10年間だったのですが、逆にもう動画を投稿しないと落ち着かなくなってしまったのです。

この本の原稿も当然締め切りが設定されているわけですが、今日は集中して書こうと設定した日も、「でもやっぱり動画を作ろうか……」と気持ちがブレてしまいます。意志が弱いと言われるかもしれませんが、ユーチューバーという仕事の性質上、休んでいると忘れられるのがオチなので、なかなか集中して休めません。ここ数年で有名なＨＩＫＡＫＩＮ氏たちは、毎日投稿をやめて動画を休み休み投稿するようになりましたが、それは稼げているからであって、多くの一般ユーチューバーにとっては難しい決断です。

この10年間で国内外いろんなところに行きましたが、たとえハワイへの旅行であっても動画を撮らないと落ち着きません。せっかくの旅行なのに、早起きして動画を作るとか、もしくは美味しいディナーを食べてから日本との時差を考慮して動画を作るとか……。どこにいても動画のことばかり考えてしまいます。

特に僕の場合、時事問題を扱うという都合上、鮮度が大事になってきます。そのタイミングを逃さないためにもなるべく休みたくないというのが根っこにあります。

◆KAZUYAの動画はこうやって作られている

競争の激しさと、ソフト・ハードともに進化した今、YouTube動画のクオリティはかつてないほど高まっています。それこそテレビマンもYouTubeに参入してきましたし、テレビ的な編集も増えました。

どのように動画を作るのかは各々の投稿者の考え方によるでしょう。ただ僕の動画は至ってシンプルです。

動画投稿は継続性が大事なので、とにかく作り続けられる態勢を考えました。そして僕がやっているような時事問題は鮮度が大事なので、なるべくその日の話題をその日のうちに投稿できるような制作方法が求められます。

実際の制作工程としては、まず情報収集をして取り上げるネタを考えます。そして間違いがないよう台本に話す内容をまとめていきます。僕の場合ざっくりとした台本ではなく、話し言葉を想定してほぼ一字一句そのままの台本を毎回用意しています。そのほうが言い漏らしもありませんし、台本段階で動画の完成品が想像できていいのです。

完成した台本をもとに撮影に入るのですが、書いた台本を全部暗記できるものではありません。ですから1行覚えてカメラに向かい発言し、また1行読んでカメラに向かい発言というのを繰り返すことになります。すると途中に何度も台本を読んでいる間ができてしまうのですが、編集でカットすることによってスムーズにつながった一本の動画になるのです。スマホのサイズ感だとわかりにくいかもしれませんが、タブレット以上の画面で僕の動画を見ていただくと、かなり細かく切っている様子がおわかりいただけると思います。最初は文節の切れ目の言い方が雑でしたが、今はかなり慣れてよりスムーズになっています。また、撮影中に「このフレーズ入れたら面白いかな」と思えばとりあえず言っておきます。撮っておけば編集時に取捨選択できますしね。

台本を書いているので、話す内容が飛んだりすることもありませんし、噛んだり、台本を読んでいる部分を順番にカットするだけなので、編集効率もいいです。

YouTubeを始めたいのだけど、話すのが苦手だとか慣れていないという人にはおすすめの手法です。

このやり方は動画をやり始めた当初から全く変わっていません。動画の時間が延びるにつれて、台本の文字数は変わりましたが、基本は同じです。このやり方だったからこそ、続けられたというのはあります。

本当にシンプルな編集なので、もっと凝ったほうがいいのではないかという声もあるかもしれません。しかし「編集がすごいからこの人の動画を見る」という人はあまりいないのではないでしょうか。それよりも内容のほうを詰めていくことを大事です。ファンが増えて余裕が出てきたら、編集は外注してクオリティを上げることもできます。

ちなみに僕はシンプル編集ゆえに完全に一人でやっています。気楽でいいものですよ。

◆どうやってチャンネルを伸ばすか？

乱立するＹｏｕＴｕｂｅチャンネルでどのように目立って、どのように継続的に試聴してもらうかは永遠のテーマでしょう。ただシンプルに考えると「いかに視聴者に好かれるか」が大事だと思います。

動画は画面越しに見るものですが、投稿者と視聴者のコミュニケーションなのです。そこで動画を通じて自分のことを好意的に見てくれたら、継続して試聴してもらえる可能性は増えるでしょう。

好きになってもらう要素はさまざまありますが、ひとつ「顔出し」が大きなポイントになると思います。顔を出しているだけでも信用度が上がるでしょう。ただ同時にＹｏｕＴｕｂｅに顔を晒すということは、それなりの規律を維持した生活をしなければいけないということでもあります。というのも顔が知られていくと、街で歩いていて声をかけられることがあるからです。また、声をかけられないまでも、どこかで視聴者に見られていることがあります。最近はコロナの影響でマスクをしている人が多いですから、顔バレはしないかもしれませんが、それでも気づく猛者がいます。僕は数回マスク越しに気づかれて声をかけてもらったことがあります。だから悪いことはできませんね（もともとしないけど）。

最初は動画の本数を増やすというのが大事になってきます。人として好きになってもらうためには接触回数を増やす必要が出てくるからです。最初は印象があまりよくなくても、何回か目にすることでその印象が変わることもありますし、とにかく本数を増やして自分を売ることです。

「人として好意的に見てもらったうえで、視聴者の興味をそそる面白い動画を作る」

まとめると簡単ですが、それが難しいのがＹｏｕＴｕｂｅです。

まずはチャンネルとしての立ち位置を明確にします。僕の場合は政治系で、時事問題をメインでやっているんだな、というのはチャンネルの動画一覧を見ればわかるでしょう。

論調は保守寄りでメディアと左派野党を懐疑的に見ているというのが一例として挙げられ

ます。

これだけでも多くの共通項を持つ人がいるのです。

ニッチな立ち位置に自分を置いた場合、視聴者の最大数がそもそも少ない場合がありま す。ただ現在はチャンネルが多すぎるので、その中で目立つためにどんどんニッチなチャンネルが増えています。それも突き詰めれば面白いのですが、伸ばすのがなかなか難しいとも言えるでしょう。

目立たなければいけないと思って、多少釣りのようなサムネイルやタイトルにするのはよくあることですが、やりすぎはいけません。それを超えて、目立つために迷惑行為をするのはもっと厳禁です。

動画が過激になると、確かに注目を集めやすいのですが、過激な動画に集まってくる視聴者層は正直微妙なところがありますし、過激ゆえに動画はおろかチャンネル自体が削除されてしまう場合もあります。

過激さでいうと、コロナ禍以降ニセ科学のような怪しい情報も削除対象となっています。本屋にも「がんが消える」のような怪しい本の類いも散見されますが、パンデミック下で怪しい情報が蔓延すると社会が混乱するだけです。YouTubeも怪しい情報には厳しくなっているので、十分に注意する必要があるでしょう。

◆投稿者から考えるYouTubeと収益

一投稿者の立場からいえば、自分の動画をできるだけ多くの人に見てもらいたいし、その結果、多くの収益が得られたらいいと考えています。

それは投稿者であれば当然の話でしょう。

ただ投稿者はモラルが問われるとも思うのです。お金というかたちで入ってくる広告収益は当然として、「いいね！」やコメントも麻薬のようなもので、ひとつを得るとふたつ欲しくなり、その欲望に終わりはないのです。もっともっと欲しくなってしまうというのが欲深き人間という生き物でしょう。

しかし政治系こそそのような欲望をセーブしなければいけません。欲望に流されれば、視聴者を釣るためにセンセーショナルだけれどもデタラメな情報を流したり、悪質な扇動をしたりすることも考えられます。そのほうが収益になるからです。その結果もたらされるのは混乱でしかありません。

正直、僕は続けているうちにＹｏｕＴｕｂｅというものが怖くなってきました。登録者が増えてきたからこその責任感というか。大雑把な枠組みで保守系がある方向に向かっていくときに、警鐘を鳴らすようになっていきました。

ただそうなると視聴者の心にアピールするような強い言葉が不足するから飽きられる可能性もあるし……かといって嘘をつくわけにもいかないし、という葛藤を抱えるなかで運命の２０２０年を迎えます。

ＹｏｕＴｕｂｅを始めた２０１３年は僕の人生が変わったと先に書きましたが、２０２０年もまた僕の人生が変わった一年だったのです。正確には２０２０年末から２０２１年まで続くことになるのですが、その転換点とは何かといえば、共和党のトランプ氏（現職）と民主党のバイデン氏が争ったアメリカ大統領選挙です。

第2章 ターニングポイント：２０２０アメリカ大統領選挙

紆余曲折はありましたが、僕のユーチューバーとしての活動は順調でした。チャンネル登録者も着実に増加を続け、２０２０年には74万人を超えるまでになります。政治系で74万人というのは当時、あまりない数字でしたし、１００万人を目指して今後も頑張ろうと思っていました。

◆またも人生が変わった2020年

ＹｏｕＴｕｂｅから派生して、さまざまな仕事もいただきました。雑誌の連載であったり、いろんな番組への出演、本の出版。それらの打ち合わせなどもあって、拠点を北海道から東京に移し、僕自身の環境も大きく変わっていきました。

ＹｏｕＴｕｂｅはどこでもできるという魅力はありますが、やはり日本のあらゆるものの中心は東京にあるわけですから、利便性という意味では抜きんでています。動画を始めた段階では考えられないことが次々と起こっていったのです。

再生数でいえば、投稿した動画はアベレージで10万回再生以上を獲得していましたし、さらに伸びて数十万になることもありました。第１章で説明したように、短い動画だと収益効率が悪いのですが、それでも一本あたり10万回再生を継続していけば結構な収入になります。

しかし２０２０年がターニングポイントになり、２０２２年の今日まで厳しい状況が続いています。２０２２年６月現在のチャンネル登録者は67万人にまで減ってしまいました。先に挙げたように、２年前には74万人がいたはずなのに、一気に７万人も減ってしまったのです。

これは珍しい現象です。というのもＹｏｕＴｕｂｅでも芸能人のように何らかのスキャンダルや炎上騒動でチャンネル登録者が減るというのはありますが、僕の場合、何かスキャンダルを起こしたわけではないのです。不倫をしたわけでも、何か社会に悪影響や迷惑行為、逮捕されるようなことを犯したわけでもありません。

再生数でいえば、現在は初動で６万再生程度にまで落ち込んでいます。当然ですが、再生数が落ちれば収入も減ります。生活できないようなレベルではありませんが、やはりこの変化はとても大きいものがあります。

この章ではなぜ僕がここまでチャンネル登録者と再生数を減らすような、しくじりをしてしまったのかを書き連ねていきます。

その転換点は「2020アメリカ大統領選挙」を巡るものなのですが、まずはその前哨戦とも言うべき2019年のある騒動から紹介していきましょう。

◆2019：兆候

2019年4月、僕はYouTubeに一本の動画を投稿します。

それは自民党の某議員に対する動画だったのですが、この議員は保守界隈で人気が高く、一部からは神格化されている人物でした。

もともとテレビに出演して人気を博し、熱のこもったしゃべりは多くの人を惹きつけていました。ところが度を越えた話を交えるので、全体的にマユツバものだなという印象もあったのです。

僕がこの動画で主張したのは「自分を大きく見せるために信じられないような話をする

のはやめよう」ということです。

では、その議員は一体どのようなことを言っていたのか？

例を挙げると次のようなものです。

・講演会に寄せられる１０００件あまりの質問は名前の一部と本文を丸暗記している
・60歳を過ぎても１００メートルを12秒４で走る
・一時期、腕全体から金粉が出た

人間誰しも話を多少盛るのは、一般的にありうる話です。しかしここまで言ってしまうと、なかなか信じられません。そして確認のしようがないレベルの話ばかりです。

このような超人伝説は、ほかの人が語るから価値があるものだと思うのですが、この方の場合は、全て本人しか言いません。普通に話は上手なのに、このような盛った話が全てを台無しにしています。

「別にそれくらいいいじゃないか」という指摘があるかもしれませんが、この方は日本の国会議員なのです。議員は現実と戦わなければいけません。それなのにこのように本当かどうかがわからない話を交えていたら、真実か否かの境界がわからなくなってしまいます。ほかに話すエピソードもいちいち疑って聞かなければいけないでしょう。だからこそ真偽不明な話はやめてもらいたかったのです。

この動画には多くのコメントを頂きました。なんと５８００件を超えるコメントで、炎上したレベルの数といっていいでしょう（https://www.youtube.com/watch?v=En6vuU6nusU）。まさに賛否両論といった感じで、ここまでの反響は初めてのことだったと思います。

Ｔｗｉｔｔｅｒにも某議員の支持者とみられる方から多くのコメントがありました。ＹｏｕＴｕｂｅだと穏健なコメントも多かったのですが、Ｔｗｉｔｔｅｒはやや性質が違っていて、かなり攻撃的かつ議論がうまく成立しない方が多い印象です。ＳＮＳはどれも同じではなく、ＴｗｉｔｔｅｒとＹｏｕＴｕｂｅでは書き込む層が違うように見えます。

例えばＹｏｕＴｕｂｅには「ここに触れる勇気に感謝。ずっと思ってたことを言ってくれた」「みんなが言いたいけど周りに批判されるのが嫌で言ってこなかった事を代弁してくれている動画だと思います。悪い事は悪い、良い事は良いと是々非々で行くKAZUYAさんのスタイルを支援します！」という肯定的なものがありました。もちろん批判もありますし、低評価もあったのですが、それでも多くのかたが同じように考えているのだなと認識できたのです。

この動画はある意味業界の「タブー」に触れた動画でもありました。だからこそ賛否が巻き起こったと思うのです。

ＹｏｕＴｕｂｅの動画による発信というのは、基本的に自分の立ち位置、そしてその立ち位置だからこそ見てくれている視聴者の方をモヤモヤさせるようなことは言わないのがセオリーです。

僕は若干右派の立場でこれまで動画を作ってきましたし、だからこそ左派批判を多く行ってきました。そうすると類は友を呼ぶで、僕と同系統の方が視聴者として見てくれているわけです。

基本的に動画は余暇を楽しむために見るものだろうと思います。ですから政治系といえども、視聴者をモヤモヤさせるような動画というのはタブーであって、同系統の右派に属するであろう議員を批判するというのはある意味異色ではあります。
ただ僕が思うに、散々左派を批判しておいて、右派のトンデモ論はスルーしていたら、今まで批判してきた左派と同じじゃないかという考えが僕にはありました。だからこその批判だったのですが、この段階では概ね理解していただけたと思います。

しかし熱心な某議員のファンは執拗に責め立てます。この議員の熱心なファンは、言うならば宗教的とも言えるほどの熱心さで、絶対に議員の批判はしません。そして議員が批判された場合、内容に対して反論するのではなく、批判者の人間性など、別のポイントで攻めてきます。普通に考えるとこんなことやってもその議員のマイナスイメージが募るだけだと思うのですが、熱心な支持者はそんなことは考えてもいないのでしょう。とにかく批判してきたやつはツブすという勢いを感じました。
そのような投稿に対して、2019年4月7日、僕は次のようにツイートしています。

うーむ、昨日の動画の件で一日反応を見て思ったのは、やはり矛盾や信じられないような発言を、皆良かれと思ってスルーした結果、本人のタガが外れてしまったのではないかということ。

小事は大事というように小事を疎かにした結果、もはや取り返しがつかない状況なのかもしれない。


「取り返しがつかない状況」について少し触れておくと、疑問に思ったファンと一般層が離れ、それでも残る一部の先鋭化したファンと、先鋭化したファンに持ち上げられて勘違いし続ける大将が存在するっていう図式ね。

ファンこそ指摘してあげるべきだと思うんだけど……。

ファンが支持しまくった結果、支持されている側も支援者を喜ばせようとよりとんでもない話をしてしまったのではないかというのが僕の考察です。僕自身、一動画投稿者として毎回視聴してくれる人、応援してくれる人を喜ばせたいという気持ちがあります。ただ完全にそっちに寄ってしまうと発言がズレてくるので、やはり節度が必要になってくるでしょう。


この２０１９年の事件で、同じ系統の思想を持っていたとしても、人間的にわかり合えないことは十分に考えられるなという教訓を得ました。今まで左派と相対する場合は最初から理解されるのは難しいだろうと思っていましたが、同系統ならワンチャンあるかもしれないという期待もあったのです。ところが理解し合うというのはなかなか難しかったのです。

しかし「批判はあるけどわかってくれる人は多い」というのは僕の中でも成功体験として残りました。全員とはわかり合えないけど、この事例では理解してくれた人も多かったのです。ただし、この成功体験こそが、1年半後にチャンネル登録者を減らす遠因になったのではないかと、今となっては思うのです。

◆そして運命の米大統領選挙へ

それから1年以上がたちました。某議員の動画では一部には批判もありましたが、基本的にはチャンネル登録者数も伸び続けています。再生数も安定していました。

そう、あの日までは……。

2020年11月、アメリカの大統領選挙が行われました。

現職だった共和党のドナルド・トランプ大統領が、民主党のジョー・バイデン氏を迎え撃つ構図です。僕もそうだし、多くのネット保守層は明確に「トランプ支持」でした。確かに問題の多い大統領です。平気で嘘をつくし、Ｔｗｉｔｔｅｒ政治で何をしでかすか全くわかりません。

ただ彼の4年間は実績もありますし、キャラクターが強いからこそ人を惹きつけるものがあったのでしょう。功績でいえば、国際政治アナリストの渡瀬裕哉氏が『税金下げろ、規制をなくせ』（光文社新書）で書いているように、減税と規制緩和が挙げられます。

特に余計な規制を削減していく「二対一ルール」の影響が大きいのではないでしょうか。これは「新しい規制を一つ作るなら、不要な規制を二つ廃止しろ」というルールです。渡瀬氏の解説を見てみましょう。

役人がなぜ規制を作りたがるのか。それは自分の実績になり、出世や天下りにつながるからです。作成者は、その規制や関連法に関するエキスパートですから、その分野の専門家として一目置かれることになります。

役人がなぜ規制を守ろうとするのか。それは先輩の功績だからです。今現在、先輩がそれで飯を食っているかもしれませんし、まして規制を廃止して先輩の面子を潰すことなど怖くてできません。

そのため、放っておけば、役人は今ある規制を守りながら、新しい規制を作り出します。しかし二対一ルールがあれば、自分の実績を作るために、過去のいらない規制廃止に取り組みます。それが役人です。たとえ先輩を裏切ることになっても、背に腹は変えられません。

そういう役人の習性をうまく利用して、二対一ルールを徹底させ、トランプ大統領は次々と規制を廃止・延期しました。　　『税金下げろ、規制をなくせ』63ページ

社会を運営するにあたってはある程度の規制が必要でしょう。しかしそれが過剰になってしまうと、経済活動に支障が出ますし、ベンチャーの発展を阻害してしまいます。日本でも近年は規制緩和を問題視する声もありますが、日本では常に規制が増え続けているのです。だからこそ日本でも二対一ルールは導入を検討する必要があるでしょう。

昨今は中国の台頭や北朝鮮の核・ミサイル開発によって、日本の安全保障環境も厳しくなってきました。日本自身の防衛力の向上も当然ですが、同盟国であるアメリカとの関係を強化する必要があります。それを考えると、トランプ大統領にもう一期やってもらったほうがいいのではないかと考えていた保守派も多いでしょう。

そして迎えた投票当日の２０２０年11月３日（現地時間）。

期待とは裏腹にトランプ大統領続投の雲行きが怪しくなっていきます。11月４日に僕は生放送をしていたのですが、その時点での開票を見ると、かなり厳しい状況でした。先述の渡瀬氏は、現地の情報を踏まえて選挙前から「トランプの再選は厳しいのではないか」と述べていました。まさにその通りの状況になっていったのです。

◆米軍がフランクフルトで銃撃戦？

７日には「バイデン氏当確」が報道各社から出ました。通常であればこれで終わりです。負けた側が敗北宣言をして、勝者を讃えるのが通例です。その後12月14日の選挙人投票が行われ、翌年の１月６日に連邦議会で各州から送られてきた選挙人票を集計し、最終決定となります。

ところがトランプ氏は敗北を認めず、「選挙が盗まれた」として、徹底抗戦の構えを見せていました。ただトランプ氏が不正選挙に言及した段階では、まるで何も証拠がなかったのです。それでもトランプ氏は不正を連呼し、多くの人を巻き込んでいくことになります。しかもそれは海を飛び越えて日本人の一部も流されていくのです。

トランプ氏の陣営は不正選挙の「証拠」とされるものを次々と出していきますが、ことごとく否定されていきます。そんなデマ情報なのに、日本の一部ジャーナリストやインフルエンサーは検証もせず拡散していったのです。


例えばどんなものがあったのか？　元時事通信政治部長でジャーナリストの加藤清隆氏は２０２０年11月17日のツイートで「今回もし米大統領選で〝大逆転〟が起きるとしたら、決め手は集計ソフト・ドミニオンのフランクフルトにあるサーバーを米軍が急襲し、押収したこと。これで不正の全容が判明する。12年前から計画されていたとされ、オバマ氏らが事情聴取受ける可能性も。また中国絡みではバイデン候補の聴取があるかも」と書いています。

同様の話は、作家の百田尚樹氏も２０２０年11月17日放送のネット番組「虎ノ門ニュース」でフランクフルトでサーバーの攻防戦があったという話をしています。虎ノ門ニュースは多くの視聴者を抱えるネット番組ですし、加藤氏のツイートは５０００件を超える「いいね！」を獲得しているので、一定程度鵜呑みにした人がいるでしょう。

さらに関連でＣＩＡ長官が逮捕されてキューバのグアンタナモにいるとか、派生した話題もあります。

ほかにも、実は大統領選挙の投票用紙には偽物があって、それは中国から送り込まれたものだが、本物にはＧＰＳがついていて追跡ができるといった話も出ていました。

どれも常識的に考えられないだろうと思えるレベルのものです。紙にＧＰＳを仕込むなんてのも、まず電源はどうするのか不明ですし、仮にそのような技術があったとしても一般的ではありませんし、莫大なコストがかかるでしょう。となるとそのコストをどのように捻出したのか全く不明です。ましてや投票用紙にＧＰＳを仕込んで追跡していたとしたら、それこそプライバシーの侵害などで訴えられそうなものです。

フランクフルトでのサーバー攻防戦は荒唐無稽にも程があるでしょう。まずアメリカの公的機関がドイツで銃撃戦をやったら、間違いなく世界的なニュースになるでしょう。主権侵害にもなりかねませんし、事実だとすれば報道されないわけがありません。これは常識的に考えて疑問を持つ必要があります。このあたりは内藤陽介著『誰もが知りたいQアノンの正体　みんな大好き陰謀論Ⅱ』（ビジネス社）に詳しいので、そちらをどうぞ。

大統領選挙を巡っては、結論ありきで証拠をあとで探そうとするからおかしな話にまで食いついてしまうのです。これでは思考のプロセスが逆でしょう。通常は証拠を集めた末に結論を出すというのが一般的です。ところが大統領選挙においては、「不正があった」という前提なので、トンデモなほうに人々は向かってしまったのではないでしょうか。

僕はトランプ氏の功績も評価しますが、大統領選挙での根拠なき「不正選挙」連呼は擁護のしようがありません。証拠があれば別ですが、何か大勢を覆すようなものはなく、裁判でも連敗が続きました。

アメリカの選挙では、不正自体は常に存在しています。それは問題としてあるのですが、選挙結果をひっくり返すほどの大規模なものは、今回の大統領選挙では確認されませんでした。

古い本ですが、ギュスターヴ・ル・ボンの『群衆心理』（講談社学術文庫）にこんな文章があります。

> 群衆の精神に、思想や信念ー例えば、近代の社会理念のようなーを沁み込ませる場合、指導者たちの用いる方法は、種々さまざまである。指導者たちは、主として、次の三つの手段に頼る。すなわち、断言と反復と感染である。これらの作用は、かなり緩慢ではあるが、その効果には永続性がある。
>
> およそ推理や論証を免れた無条件的な断言こそ、群衆の精神にある思想を沁み込ませる確実な手段となる。断言は、証拠や論証を伴わない、簡潔なものであればあるほど、ますます威力を持つ。
>
> 『群衆心理』　１６０ページ

まさにトランプ氏の手法です。根拠は示さないけど、「選挙が盗まれた」「不正選挙」と断言し、それを反復し続けることによって、どんどんアメリカ全土、いや、日本まで感染させていったのです。

アメリカは本場だけあって、かなりトランプ氏に入れ込んでいる人もいたようです。共和党のボランティアをしながら現地を長期取材した横田増生著『「トランプ信者」潜入一年』（小学館）には多くのトランプ支持者……いや、トランプ信者が登場します。

横田氏は「トランプ支持者」と「トランプ信者」の違いを次のように説明します。

トランプに投票したが、トランプの負けを認める人↓トランプ支持者

トランプが負けた事実を受け入れられず、さまざまな嘘や陰謀論を用いて事実を捻じ曲げる↓トランプ信者

この分け方だと僕はトランプ支持者になるでしょう。そして先に紹介したジャーナリストなどはトランプ信者ということになります。アメリカでならいざ知らず、日本にもトランプ信者が一定数いたことには驚くしかありません。そして日本でも集計ソフト「ドミニ

オン」に関する陰謀論が多数展開されました。

この点について横田氏は「ドミニオンこそが４番バッターだった」と述べています。


なぜ４番バッターとなるのか。

不正投票を一票ずつ積み上げていっては、トランプがバイデンにつけられた大差をひっくり返すのは不可能だからだ。よって集計機を不正に操作することによって大量の投票が覆されたという陰謀論が繰り返される。

それが嘘である理由を繰り返しておこう。

ソフトウェアが投票を書き換えたという陰謀論が成り立たない理由は２つある。１つは、ソフトウェアが搭載した集計の機械は、インターネットの接続から遮断されており、外部の人間が遠隔で操作することはできない。２つ目は、もし、集計ミスがあっても、各州が投票用紙を保存しているため、再集計することでミスを修正することができるからだ。


『「トランプ信者」潜入一年』　３７４ページ

確かにドミニオンであれば、大規模な不正があったと強引に辻褄を合わせるにはちょうどよかったのでしょう。ただし、結局のところ何ら不正の証拠は出てきていません。

◆トランプ支持、バイデン嫌悪、マスコミ不信

なぜ日本人の一部がここまでおかしなことになってしまったのでしょうか。要因はさまざまに考えられますが、僕が思うに「トランプ支持、バイデン嫌悪、マスコミ不信」の要素が大きかったように思います。

日本のネット保守は安倍政権を支持している人が多くいました。そしてその安倍氏はトランプ氏と良好な関係を築き、日米関係を安定させてきたのです。支持する安倍氏といい関係を結んでいるという時点で、トランプ大統領に親和性を感じていたのではないでしょうか。さらにトランプ政権は次第に中国に対して厳しい対応を取るようになっていきました。日本のネット保守は僕を含めて安全保障に関心があるので、近年膨張する中国の軍事力に危機感を抱いています。同盟国であるアメリカのトランプ大統領がしっかり中国と向き合うというのであれば、これは支持しない理由はありません。

加えて、バイデン氏は危険だという雰囲気が当時はありました。これは米国の選挙戦でも喧伝されたことですが、バイデン氏は高齢ですし、人の名前を間違えたり、失言をしたり、かなり危うい部分が見え隠れしていました（就任後も失言がありますね）。中国に対しても、かなり友好的になるのではないかという見方もあり、もしバイデン氏が大統領になったら日本も心配だと考えていた人も多いでしょう。

バイデン氏が大統領になったら世界が終わるかのように書いている人もいました。ただそれを日本人が日本人に訴えてもどうにもならないような……。そう。これは同盟国とはいえ、他国の選挙なのです。同盟国の日本としては、アメリカの大統領が誰になるのかは大事ですが、あくまでもその選択権はアメリカの有権者の手に委ねられています。日本人としては、その行方を見守ることしかできないわけですが……どうしてこうなったのか。

そして投票日以降、ネットに溢れるさまざまなデマ、フェイクの類いが一部で信じられ、「トランプ勝利」を確信していた人の中にはマスコミ不信という土壌がもともとあったように思います。テレビにしろ、新聞にしろ、これまで誤報も捏造もやってきました。有名な朝日新聞の慰安婦報道をはじめ、それは事実として存在するのです。ただそれを極端に解釈した結果、「マスコミは全部ウソ」であるかのように過剰な判断をする人がいるのです。

そういう人からすると、マスコミがバイデン氏の当確を報じたところで「マスコミはウソを言っている」となってしまうのです。そもそも「不正選挙」という結論が先にあり、その答えを出すための計算式をあとからクリエイトするため、マスコミが「当確」と書いたことは不都合でしかないのです。本来なら「答えのほうが間違っているのでは？」と疑うべきなのでしょうが、それが難しい。じゃあどうなるのかといえば、「マスコミはウソを言っている」と言うしかなくなります。おそらく多くの読者にとっては理解できない感覚でしょうが、極端な発想の人が世の中に存在するのです。

そしてそういう人たちがSNSで集っていくと、もっと極端な方向に寄っていきます。近年は報道でもSNSの危険性として「エコーチェンバー」（同じ意見の人がコミュニケーションをとって、特定の信念が強化される現象）や「フィルターバブル」が指摘されています。

マシュー・サイド著『多様性の科学』（ディスカヴァー・トゥエンティワン）に次のよ

うな記述があります。

政治問題など複雑な問題を探す場合、多様性を排除してしまうと、エコーチェンバー現象によって現実が歪んで見え始める。例えばＦａｃｅｂｏｏｋやそのほかのＳＮＳから情報を得ようとすると、一番目にしがちなのは、友人がシェアする情報だろう。つまり自分と考え方が合う人の意見、あるいは自身の意見を裏付けてくれる情報に触れる機会が多くなる。反対意見に触れる割合はずっと低い。この傾向はいわゆる「フィルターバブル」によってさらに強まる。インターネットでは、Ｇｏｏｇｌｅに代表される検索サイトのアルゴリズム（つまり特定のフィルター）が利用者の好みに合わせて検索結果をふるいにかけている。そのため利用者が好む情報、すでに信じている情報ばかりが表示されやすくなる。まるで泡（バブル）の中に閉じ込められたようになって、多様な意見や視点へのアクセスが制限される。

『多様性の科学』　２１０ページ

同じ意見の人が集まるのは間違いなく気持ちがいいことです。しかしその枠だけに留まっていると、エコーチェンバーとフィルターバブルによって、極端な方向に流れてしまうことを常に意識する必要があるでしょう。特に現代は検索エンジンにしろSNSにしろ「よかれ」と思ってさまざまなアルゴリズムを生み出しています。そうした前提を理解したうえでSNSを使うのが賢明です。

◆そして僕は「負け組」になった

アメリカ大統領選挙の投票日以降、特にネット保守界隈は異常とも言うべき数か月を過ごすことになります。

この時期は「トランプが勝っている」とか「不正の証拠が今日も出た（デタラメな偽情報）」と言っていると、再生数がかなり伸びる時期だったのです。再生数が伸びるということは、それだけ収益増の見込みがあるということですから、何のポリシーもない人間は連日そんな話題をやっていました。

僕としては、何か明確な証拠や根拠が見つかっていない以上、安易にその流れに乗ることはしませんでした。むしろ、こうした状況が続くと「保守界隈がバカだと思われる」と考えて、冷静になるように訴えました。

当時の動画（２０２０年11月５日）を振り返ると、選挙後すぐに出回ったデマに言及しつつ「不自然なことがあるにしろ、それは日本人が騒いでもしょうがないので、僕としては経過を見守ろうと思います」と述べています。この時点ではコメント欄が特段荒らされることもなく、まだ穏やかな雰囲気が漂っていました。

ただ当確が出た７日あたりから、雰囲気が変わってきました。もう何でもありの状況であらゆるデマが拡散されていきます。それを諌めるため、僕は９日に『トランプ大統領支持者は冷静になろう【バイデン民主党の不正選挙?·不正投票?·】』という動画を投稿しました。当時の書き起こしですが、僕が何を言っていたのかを見ていただきたいと思います。

僕だって願望はトランプ氏ですが、常識的に考えると厳しいにもほどがあるんですよ。今回焦点になるのは不正がどの程度あったのかになるでしょう。

僕も多少の不正やミスもあったのだろうと思います。

しかし大勢を覆すほどの大きな不正があったのかと考えると、現状は全く根拠がありません。

票の再集計によって数百数千ならまだワンちゃんひっくり返るかもしれない。

だけど数万の差が付いてしまっている州でそれはどうかなと。

急にバイデンの票が増えた(いわゆるバイデンジャンプ)っていうのも不正だとされていますが、本当に不正で増えたのだとしたら司法で判断されるでしょう。今回郵便投票が多いですから、それがまとめて集計されただけじゃないかと僕なんかは思いますけどね。

あのグラフだけで不正の証拠とはならんでしょう。

ここで考えなければいけないのは、願望は認識を歪ませるっていうことだと思うんですよね。

僕は上品に言えばおクソサヨクが嫌いなんですけど、あれって認知が歪みまくっているんですよ。

例えばモリカケ桜問題ね。

何か言っても疑惑は深まったといい、永遠に何も解決しないまま時間だけが過ぎていきます。

ここには前提条件があると思うんです。

モリカケを追及しているサヨクであれば「安倍は悪いことをやっているに違いない」というものです。

これが常に判断基準になります。

だから何を言われても何を出されても認めず、アベガーとなってしまうんです。

何もやっていないなら調査しても問題ないはずだと徹底調査を求めていますよね。

常に推定有罪ですよ。

しかし今同じ現象が一部のトランプ支持者の間にでき上がっていないでしょうか？

前提が「バイデン・民主党は悪いことやっているに違いにない」に変わっただけで同じなんですよ。

今回の一部トランプ支持者を見ると、おそらくモリカケ問題でサヨクをバカにしていたと思うんです。

僕もかなりバカにしていました。

だけど今同じことやっていないでしょうか？

願望をもとにした前提条件は判断を曇らせます。

これ言った瞬間にビキビキって来た人いると思いますけど、キーボードを叩き始めるのはちょっとまってください。

不正選挙だというなら、まずトランプ大統領側がしっかり証明していかなければいけませんよね。

こういう証拠があります。だから不正です。不正に投票された票は無効です。ならわかる。

しかし現状なんら明確なものはありません。

さっき言ったように二重投票とかそういうのは多少あるとは思いますよ。

ただ州の投票をひっくり返す数万件とかになるのかと言われるとね。

それも複数の州で逆転と考えると難しいですよ。

普通は決定的な証拠がないと糾弾できないわけですよ。

なんだけど今のネットを見ていると、推定有罪での言論が目立ちます。

SNSに全く真偽不明の情報が氾濫していますが、あまり鵜呑みにしないほうが良いんじゃないでしょうか。（中略）

やばいなと思ったのが、祝意を示した菅総理に突撃していく人達ね。

昨日の朝、当確との情報を受けて、各国の首脳が祝意を示しているんですよ。

菅総理もジョー・バイデン氏及びカマラ・ハリス氏に心よりお祝い申し上げますとツイートしています。そのリプ欄がなかなかかね。

「不正選挙は無かったと考えているのか」みたいなコメントが結構あります。トランプ大統領が逆転することに全賭けするなら別ですが、バイデン政権ができると考えて早めに出しておかないと、いきなり向こうに不信感持たれますしね。日本の総理大臣として当然の対応だと思いますよ。

これはあくまでアメリカの民主主義を尊重したものですよ。

当確が出たのだから各国と歩調を合わせて祝意を出しただけです。

逆にアメリカの制度が後にこの結果を覆すのだとしたら、それを尊重したらいいだけでしょう。

常識的に考えて菅総理とかがあれは不正選挙だとか言ったら、アメリカのことバカにしているのかとなるでしょう。

今から見ても僕の主張は首尾一貫していると自画自賛しておきたいと思います。ただこの頃は某議員批判動画のときとは桁違いに「ヤバい」コメントが多かった時期です。僕もそんなに強い人間ではないので、ムキになっていろいろと反論をしていたのを思い出します。
デマ情報に対して指摘しても「お前はわかってない」とか言われてしまうので、ほとほと困り果てていました。

この頃は連日「流れが変わった」とか「新しい証拠が出た」とアメリカから何かしらの情報が輸入されるのですが、とても証拠とは認められないものばかりだったのです。そして証拠能力があるのだとしたら、それはまず裁判所に持っていくべきでしょう。法治国家なわけですし、裁判で白黒つけたらいいのですが、トランプ側の訴訟は敗北ばかりでした。それでも認めたくないのか、支持者たちは「証拠は最高裁まで取っておく」などとよくわからない理屈を述べていたことも印象的でした。

手当たり次第になんでも鵜呑みにする人がいたので、適当なことをフカしている人も気持ちがよかったのではないでしょうか。ただそれは社会に多大な混乱を巻き起こしました。
まるで戦後のブラジルの日系人の間で発生した勝ち組・負け組騒動です。国立国会図書館のサイトから概要を見てみましょう。

１９４５年（昭和20）８月14日、日本のポツダム宣言受諾を伝える放送はブラジルでも聞くことができ、敗戦の知らせを聞いた日本人たちは呆然とするばかりであった。しかし、少し時間がたつと、敗戦という受け入れ難い事実を受け入れる代わりに、それまでに得た情報を願望によって都合よく再解釈し、敗戦はデマであり、実は日本が勝ったのだと言い出す者が出てきた。その言説は、すぐさま日本人の間に伝わり、敗戦を受け入れたくない多くの人たちに信じられることになった。これらの人たちは、勝ち組、戦勝派、信念派などと呼ばれた。

日系社会の中で指導者層には敗戦を受け入れる人が多かったが、一般の人の多数、特に奥地ではその大多数が日本の勝利を信じた。（中略）

一方では、このように多くの日本人が敗戦の事実を認めずに軽はずみな行動をとることによって、日本人全体がブラジル社会から排斥されることを恐れた日系社会の指導者層の人たちが中心となり、敗戦の事実と日本の置かれている現状を戦勝派の人たちに納得させ、ブラジルの社会のなかでとるべき生活態度を皆で考えいくための時局認識運動（略して、認識運動）を起した。この運動に従事する人は、認識派、負け組、（勝ち組から悪意をこめて）敗希派などと呼ばれた。

国立国会図書館『勝ち組と負け組』
https://www.ndl.go.jp/brasil/s6/s6_1.html

歴史は繰り返すのかと驚くばかりです。認識派は勝ち組から「非国民」とか「国賊」のような言葉で罵られ、挙げ句勝ち組はテロ事件を起こして、死傷者を出しています。情報が制限されていた当時ですから、エスカレートしたというのもわからないではありません。ただ同じような現象が情報ツールの発達した現代でも起こってしまうのだから、人間は進化しないものです。ネットで世界とつながるようになったのは、人類の歴史からするとほんの一部です。まだテクノロジーの進化に人類の認識が追いついていないからこそ、このような事態になるのではないでしょうか。

勝ち組・負け組の話でいえば、僕は認識派に括られる活動をしていたことになります。そして罵られるというのも全く同じですね。Ｔｗｉｔｔｅｒでは「信念が足りない」とか

「バイデン派に寝返った」などみるに堪えない言葉も受けました。しかし足りないのは不正選挙の証拠なのです。それがあれば僕も「トランプが勝った」と言っていたでしょう。

証拠がないという点をＴｗｉｔｔｅｒなどでも指摘していたところ、こんなツイートも寄せられました。


いやいや、これからトランプ大統領がとんでもないカードを切るかもしれませんよ。

ＹｏｕＴｕｂｅに流れた動画に「ペロス下員議長、軍警察に逮捕」の情報がありました。

「ペロス」というのはペロシ下院議長のことでしょう。

この投稿は２０２１年１月10日のもので、もうバイデン氏の就任が正式に決定していたときです。この段階でも選挙結果を覆すような証拠は見つからず、裁判も負けが続いていたのに「まだまだこれからだ」と言わんばかりのツイートに驚いてしまいます。当時の僕は「いついつにカードを切る可能性があるとか、何日に軍が動くだのクラーケンが放たれるだの、一つでも的中しましたか？　少しは疑ったほうがいいですよ」と返信しています。

この手の人たちは「勉強しろ」と言ってＹｏｕＴｕｂｅやツイートのリンクを貼ってくる

場合があります。見ると根拠不明の陰謀論であることが多いのですが、それを信じてしまったうえで、人に「勉強不足」だとすすめてくることに人間の難しさを感じます。彼らは確かに自分の貴重な時間を使って「勉強」しているのでしょう。しかしその中身に大きな問題があります。

もちろん、僕の指摘を理解してくれた方も多くいらっしゃいました。それが僕にとっては救いだったのですが、やはり勝ち組から寄せられる強い言葉には傷つきます。僕のＹｏｕＴｕｂｅチャンネルには低評価が増えていき、再生数も減り、チャンネル登録者も減っていく……。散々でした。今は動画やツイートが残っているから当時を振り返ることができますが、正直、脳が思い出したくないのか、あまり記憶がありません。相当嫌な時期だったのでしょうね。

◆ディープステート陰謀論、Ｑアノンに一部日本人も傾倒

この大統領選挙を語るうえで、「Ｑアノン」の存在を外すことはできないでしょう。

Ｑアノンについても、２０２０年12月当時動画にしていますので、その内容から振り返

っていきたいと思います。

ここ数ヶ月Qアノンって言葉をちょいちょい聞きませんか？

これは陰謀論の一種とされているのですが、Qという匿名の人物がアメリカのネット掲示板に書いたことを信奉する人たちのことです。

アメリカでは情報の機密性に応じて分類分けをしています。そしてアクセス権限によって見ることができる情報が違うんですね。部門によって違うようですが、トップシークレットの上にあるのが「Q」です。Q（クリアランス）をもつ匿名（アノニマス）の人物ということでQアノンと呼ばれるようになったそうです。

Qは２０１７年10月から投稿を始めたとされています。

Qは意味深な投稿をすることでお馴染みで、見ている人に謎解きをさせます。そしてやはり政権と関係があるのではないかと匂わせる内容も出てきます。時間が進むにつれて徐々にハマる人が増えて一大勢力となっていきました。

では「Qアノンの世界観とは一体どういうものなのか」という話です。

『文藝春秋２０２０年12月号』に、慶応大の渡辺靖教授が『米大統領選を揺るがす

『「Qアノン」の正体』という記事を書いています。

それによると、明確なスタンスとしては反民主党であり、反リベラルであり、そしてトランプ支持だということです。特にトランプ大統領については闇の国家、ディープステートと戦う救世主だという世界観を展開しています。

「Q」の言う〈闇の国家〉(ディープ・ステート=deep state)とは、民主党の政治家、財界、官僚組織、ハリウッドの大物、メディア……要するにリベラル派やエスタブリッシュメント(既得権益を握る層)によって構成されている――これがQアノンの陰謀論の中核で、この党派色の強さが、ほかの陰謀論には見られない特徴です。Qアノンの唱える代表的な陰謀論に、「民主党の一部が児童の人身売買や性的虐待にかかわっている」というものがあります。

ディープステートっていうのは日本の言論人でも言っている人がいますよね。ただ現状は「信じるか信じないかはあなた次第です」なところがあります。

Qアノンの世界観だと、ディープステートとトランプ大統領は戦っているというんですね。

世界情勢アナリストの高島康司氏が書いた『Ｑアノン　陰謀の存在証明』（成甲書房）という本には、さらに詳しくＱアノンの主張が書かれています。

少し見てみましょう。


トランプは、〝ある勢力〟から大統領になるように依頼された人物だ。彼の役割は、根底から腐っているワシントン政界を本格的に浄化し、アメリカを国民の手に取り戻す「アメリカ第二革命」の実行である。トランプを守っているのは、アメリカの中でも腐敗していない唯一の組織である海兵隊である。そして今、軍に所属する情報機関とＣＩＡやＦＢＩとの間で暗闘が繰り広げられている。この動きを背後で指揮しているのは国防情報局（ＤＩＡ）の長官で、更迭されたマイケル・フリン現役陸軍中将である。

（中略）アメリカを背後から支配しているのは「ロスチャイルド家」、「ソロス家」、そしてサウジアラビアの「サウド王家」である。彼らは「クリントン一味」と「ディープステート」を動かし、アメリカを支配している。

陰謀といえばユダヤの陰謀とかありますけど、Qアノンはトランプ大統領を救世主のように扱っている点で特殊ですよ。大統領選挙を通じてフリン現役陸軍中将がなんちゃらとか、ジョージ・ソロスがどうだとか聞きました。あれなんてまさにQアノンの世界観ですよ。

そりゃ考えてみたら向こうの選挙なので、その世界観が出てくるのも当然っちゃ当然なんですけどね。

今日本でも無意識にQアノンの世界観が広がっているんじゃないかとすら思います。前述の渡辺教授はアメリカには陰謀論が拡散しやすい政治風土があると指摘しています。

そもそもアメリカには陰謀論が拡散しやすい政治風土があり、それは個人主義や、セルフヘルプ（自助）を重んじるアメリカ社会の気風と関係しています。封建制度を否定した人々によって建国されたアメリカでは、親の力やコネに頼らず、自分の力で道を切りひらくことが重んじられます。

しかし当然ながら、誰もがアメリカン・ドリームをつかむことができるわけではありません。激しい競争に敗れ、思い描いたような人生を送ることができないとき、「自分には能力がなかった」と自己否定するのはつらい行為です。そんなとき陰謀論が心に入り込むのです。「自分は能力もあるし、頑張っている。うまくいかないのは、ヤツらのせいだ」

これはあるかもしれませんね。人間だからそうなるよねという感じです。渡辺教授は欧米のようにはいかないにしろ、経済の低迷から日本でも「誰のせいでこんな社会になったのだ」というエスタブリッシュメントへの不満に転化する可能性はあると指摘しています。

ですから単なる陰謀論で片付けずに、なぜそこに行き着いてしまったのかという要因を考える必要性があるんでしょうね。

この動画も今振り返ると感慨深いものがあります。

Qアノンの世界観で「トランプは救世主」的に捉える言説は日本でも一部に広がりつつ

ありました。それでもまだ本場アメリカに比べればマシだったでしょう。このあと書くように、アメリカでは議事堂を襲撃して死者を出すような惨事につながっていくわけですし……。

前出の横田氏は『「トランプ信者」潜入一年』の中で次のようなインタビューを掲載しています。その中で11月の選挙から2か月がたっても決定的な不正の証拠がない状態なのに、なぜトランプ信者は再選を信じているのかとの疑問をトランプ信者にぶつけます。

エイブ・フロマン（45）は、トランプは選挙で負けた、という私に対し、「それはメディアが流す嘘だ」と即座に切り返した。「今のメディアを誰がコントロールしていると思っているんだい。ビル・ゲイツやジョージ・ソロス（著名な投資家）、ディズニー社、それに中国共産党だ。携帯電話や自動車などの消費者向け商品において、アメリカは世界最大の市場なのだから、中国がその市場を牛耳りたい。そのためには中国に対して厳しいトランプより、バイデンのほうが操りやすいと考えているのさ」

――筋書きとしては理解できますが、そこには決定的な証拠が欠けています。

「それはまだないさ。決定的な証拠は〝闇の政府〟によって何層にも覆い隠されているんだから、それを一つひとつはがすのには時間がかかるんだ」

前掲書　４２０ページ

これは当時僕も同じような体験を何度も何度もしています。

基本的に空想的な話をしているので、事実の指摘には何の意味もありませんでした。追い込まれると逆ギレするか、意味不明の論理を生み出して対抗してくるので、堂々巡りに陥ります。

僕のディープステートや国際金融資本的な大きくて謎の存在に対する疑問として、そんなに巨大な存在なのになぜ誰も実態を知らないのかという点と、闇の組織のはずなのにネットで簡単に調べられてしまうのはおかしいのではないかという点です。そしてそこまで巨大な力を持つ闇の組織のくせに間抜けすぎなのも気になります。闇の勢力にとってトランプ氏は都合が悪いはずなのに、なぜ２０１６年の選挙では当選してしまったのか？　コントロールできるのであれば、おかしな話でしょう。

世界を隅々まで牛耳っているはずなのに、そのインターネット投稿を削除しないのも意味がわかりません。そもそもそんなものは、ディープステートがどうこうと主張する人々の「脳内」にしか存在しないのではないでしょうか。さらに大きな影響力を持つ組織であれば、互いに利害関係が衝突することもあるでしょう。それなのに、陰謀の話になると突然、何の証拠も残さず同じ方向に向かって歩みを進めるなんていうのは、とても考えにくいことです。

よくわからない存在だからこそ、論理も飛躍しがちです。不正選挙訴訟で連戦連敗していたトランプ側の状況を見た勝ち組の人たちは、「DSが裁判員を買収している」という趣旨の発言もしていました。これも考えにくい話で、全米の裁判の関係者を買収しても誰も断らず、誰も告発しないなんてことが考えられるでしょうか。それに当時はまだトランプ政権だったわけですから、もし本当に裁判所が買収されていたとしたら、トランプ政権時代から巣食っていたことになります。

当時はディープステートを否定的に捉えたり、トランプの再選に疑問を挟むと、一部の人たちから相当に叩かれました。僕としては「証拠がないじゃないか」というだけなのですが、その指摘に対して「お前には信念が足りない」とか、精神論の話をします。精神論自体は否定しませんし、それは大事だと思いますが、再選するには必勝の信念ではなく、不正の証拠（本当であれば、ですが）が必要なのです。

あとは「バイデンが大統領になってもいいのか」という反論もありました。いや、反論にすらなっていませんね。先ほども出てきましたが、願望と事実関係は必ずしも一致しません。僕は何度も表明していたように、願望は「トランプ再選」です。しかし結果としてはバイデン氏が多くの選挙人を得たという事実があるわけですし、民主主義社会を維持するためには、そうした選挙結果を尊重するのは当然の話です。トランプ支持者として認めたくない気持ちはわかりますが、事実は事実として受け止める必要があります。

◆なぜ人は陰謀論を信じてしまうのか？

２０２０年11月以降、僕は相当悩んでいました。ＹｏｕＴｕｂｅを始めて以来なのは当然として、人生でいちばん悩んだ時期だと思います。なぜ人間はわかり合えないのか。そしてなぜ人間は指摘された事実を認められないのかということを相当考えました。

ジョゼフ・E・ユージンスキ著『陰謀論入門　誰が、なぜ信じるのか？』（作品社）を読むと、その謎の一端がわかるでしょう。

基本的に陰謀論は僕もそうだし、誰もが引っかかる可能性があるものです。しかし何に引っかかりやすいのか、逆に引っかからないのかは人や環境によって左右されるものです。

ユージンスキ氏は大まかに心理学的要因と社会学的要因に分け、そこから詳しく解説をしています。心理学的特性とは個人の心の中に生じるもの。認知、性格的特性、感情状態によって左右されるものです。社会学的要因とは、集団の一員であることや、集団の競争に対応することから生じるものを意味します。それぞれ同書から、要点を見ていきましょう。

①心理学的要因

★認知的特性

認知とは「知識や理解を得る精神的なプロセス」のことを指しますが、人はそれぞれ異なる認知的特性を持っており、入ってくる情報に対して多少異なる解釈をします。そうした認知的特性が陰謀論を簡単に信じたり、逆に信じなかったりさせることがわかっています。

人間ゆえにさまざまなバイアスがかかっているというのもよくある話で、例えば「意図性バイアス」に陥った人は、結果から出発して行動、動機と逆にたどって、何かが起こったのだから、誰かが意図的にそれを起こしたに違いないと考えるそうです。この話で思い出したのが安倍政権時代の左派勢力です。左派は安倍政権を嫌悪していましたし、まず「安倍が悪いことをやっているに違いない」という結果があるから、森友学園問題にしろ、加計学園問題にしろ意味不明の追及を長々とやり続けたのでしょう。

ユージンスキ氏は「人はとかく、真実よりも、自分がすでに信じている内容と矛盾しない情報源を選ぼうとする」と指摘していますが、これには僕自身心当たりがあります。おそらく大統領選挙でめちゃくちゃ言ってた人も同様で、自分の信念（トランプは当選しているはずで、今回は大規模な不正選挙が行われた）から出発し、それと矛盾しない内容の情報（デマばかりなのですが……）を集めてより深みにハマっていったのでしょう。
さらにユージンスキ氏は次のように続けます。

自分の世界観に反する情報に直面したとき、多くの人は理由をつけてその情報を否定しようとする。このプロセスは動機付けられた推論と呼ばれる。こうした行動を取る際、人は自分の立場を支持する証拠よりも、反対の立場にとって有利な証拠により高い基準を設けることがある。あるいは、自分や自分が属する集団の行動を大目に見る一方で、敵対する集団が同じことをおこなった場合には非難するということも行われる。動機付けられた推論によって、人は、相手を悪とみなす陰謀論を受け入れる一方で、自分自身を悪とみなす陰謀論は拒むようになる。

『陰謀論入門　誰が、なぜ信じるのか？』　１０５ページ

僕はネットの「保守側」とされる界隈で活動してきましたが、まさにという指摘です。
左派が何かやらかすと盛大に盛り上がり、逆に自分たちに都合の悪い事件が起こると否定

するかむちゃな擁護をするかです。しかしこれは何も保守派だけでなく、左派も全く同じです。人間は「敵に厳しく、身内にやさしい」ものなのです。しかしそれを放置するのも危険なことです。大統領選が顕著ですが、放置した結果より危険な思想に流れ込んでしまう可能性もあるわけですし、言論人でもユーチューバーでもなんでもいいですが、発信者こそ注意しなければいけません。

★性格的特性

先ほどの認知もそうでしたが、性格もそれぞれ違います。ただその特性によっても陰謀を信じやすいかに関わってくることがわかっているのです。

例えば「独自性欲求」です。これは「自分は特別であると感じたい思い」のことで、この感覚が強い人は高い陰謀思考のレベルを示し、特定の陰謀論を信じるレベルも高いとされています。その理由としてはおそらく陰謀論が、特別な存在である人だけが得られる特別な知識として提示されることが多いからだと考えられます。

大統領選に限った話ではないのですが、「メディアが報じない真実」のような宣伝は各所で見ます。そこからかなり怪しい情報が繰り出されるパターンが多く、本当かと思うことも多々あります。これも「メディアが報じない真実を私は知っているんだ」と誘導するための手段でしょう。普通にメディアを見ている人では知らない話を私は知っているというのは、優越感につながります。

「マニ教的思考」もハッとさせられる話でした。マニ教的思考とは、政治は異なる結果を望む異なる集団間の継続的な交渉ではなく、善と悪の戦いであると考える傾向のことです。大統領選挙ではトランプが光（つまり善）、バイデンは闇（つまり悪）側だと決めつけて発信する例を多々見かけました。政治というより宗教的な意味合いを帯びていたのです。

このようにかいつまんで心理的要因を紹介してきましたが、まだまだこれから研究が進む分野でしょうし、結局は人それぞれ思考も性格も異なるからこそ、断定できる話ではありません。ただ傾向として認識しておいて損はないでしょう。

②社会学的要因

心理学的要因は特に個人にスポットを当てたものでしたが、社会学的要因では「集団」にスポットを当てています。

人がどの陰謀論を信じるかは、所属する集団によって決まる傾向がある。集団同一視は、自尊心や帰属意識をもたらすため、メンバーがどの陰謀論を信じるかの予測因子となる。自分の所属する集団への攻撃は、容易に自分自身への攻撃として受け取られる。敵対する集団については、偏見に満ち、不道徳で悪意があると考えがちになる。そして、自分の集団に利益をもたらすことは、しばしば正義と混同される。

人は容易に内集団および外集団のアイデンティティに従って考え、行動するものであり、ときにはそれが恐ろしい結果を招く。集団を中心とした陰謀論は、集団的なナルシシズムと動機づけられた推論によって助長されることがあり、それによってメンバーは自分の集団の悪い行いを問題にせず、対立する集団がやったとされる行いにのみ非難を向けることになる。

前掲書　１１１ページ

これも「あるある」と頷きながら読み進めた部分です。性格や認知等の個人的な要因に加えて、さらに所属する集団の要因が加わってこそ、大統領選挙の混乱や、その後の新型コロナウイルスのワクチンを巡る陰謀論などが強力な信仰として作用していったのでしょう。

正直な話、思考するというのは疲れる作業です。集団に染まっていたほうが楽といえば楽だなと思うときもあります。ただそういう人が増えていけば、日本社会は今よりカオスなものになってしまうでしょう。不安定な時代だからこそ、思考することを怠ってはいけないのです。

◆そもそも人間は過ちを認められない動物

人間誰しも間違いはあります。僕だって失敗や間違いの連続でした。しかし人間とはそういうものなのです。じゃあ失敗したときにどうすればいいのかといえば、訂正するとか謝るとかそういうことなのだろうと思います。

僕自身、発信する動画に重大な間違いがあった場合は訂正するように心がけています。ただネットを見ていると、頑なにそれを認めない人たちが存在します。大統領選挙でも、明らかにおかしな情報が流布されているのに、それを流布した人も、そして受けた人も誰も認めようとしません。

それはなぜかを考えるうえで、マシュー・サイド著『失敗の科学』（ディスカバー・トゥエンティワン）は手助けになるでしょう。

そもそも人間は失敗を認めたくない動物なのです。もし間違いを指摘された場合、必死に「自分は間違っていない」と弁明するのが、ある意味自然なことでもあります。ただ失敗を認めないと、また同じ失敗の繰り返しになってしまうかもしれませんし、次に活かすことができません。

『失敗の科学』には失敗を認めないという点で面白い話が載っています。

１９５０年代に科学者のフェスティンガーが、ある新聞広告を見ました。それは「シカゴを大洪水が襲う」というものです。霊能者を名乗るマリオン・キーチという主婦が宇宙からそんなメッセージを受け、1954年12月21日に大洪水で世界が終わるけど、キーチの家に宇宙船が現れて信じる者だけが救われるという、まさにオカルトの世界が展開されています。

フェスティンガーがすごいのは、このカルト集団に飛び込んでいって、経過を見守ったということです。彼の関心は「予言が外れたときに、信者はどういう行動をとるのだろう?」でした。

普通に考えれば「予言が外れたじゃないか! このペテン師野郎が!」とクレームをつけたり、「だまされた!」とか何とか言って元の生活に戻るとなるでしょう。しかしフェスティンガーはこう考えました。

「信者はキーチを否定するどころか、もっと信仰心があつくなるだろう」と。

では実際にどうだったのか。予言されていた当日にシカゴで洪水も発生しないし、宇宙船も来ません。予言が外れたわけですから、最初はどんよりとした空気が流れていたと言いますが、しばらくたつとこうなったと言います。

しかしやがて、何事もなかったかのようにそれまで通りの行動を始めた。つまり、フェスティンガーが予想した通り、大事な予言を外した教祖に幻滅することはなかったのである。それればかりか、以前より熱心な信者になる者も出た。

どうしてこんなことが起こったのだろう？　彼らが見たのは紛れもない失敗だ。教祖のキーチは、世界が洪水で沈み、宇宙船が救いにやってくると予言したが、何一つ起こらなかった。しかし信者たちは、自分たちの信念を変えることはせず、事実の「解釈」を変えてしまった。

『失敗の科学』　１０１ページ

どういうことかといえば、洪水も宇宙船もこなかったけど、その事実に注目するのではなく、「洪水が発生しなかったのは、私たちが世界を救ったからだ！」のように解釈を変えてしまったということです。曲解にも程があるのですが、それが人間です。

なぜ、こんなことが起きるのか？　カギとなるのは「認知的不協和」だ。これはフェスティンガーが提唱した概念で、自分の信念と事実が矛盾している状態、あるいはその矛盾によって生じる不快感やストレス状態を指す。人はたいてい、自分は頭が良くて筋の通った人間だと思っている。自分の判断は正しくて、簡単にだまされたりしないと信じている。だからこそ、その信念に反する事実が出てきたときに、自尊心が脅かされ、おかしなことになってしまう。問題が深刻な場合は特にそうだ。矛盾が大きすぎて心の中で収拾がつかず、苦痛を感じる。

そんな状態に陥ったときの解決策はふたつだ。1つ目は、自分の信念が間違っていたと認める方法。しかしこれが難しい。理由は簡単、怖いのだ。自分は思っていたほど有能ではなかったと認めることが。そこで出てくるのが2つ目の解決策、否定だ。事実をあるがままに受け入れず、自分に都合のいい解釈を付ける。あるいは事実を完全に無視したり、忘れたりしてしまう。そうすれば信念を貫き通せる。ほら私は正しかった！　だまされてなんかいない！

前掲書　102ページ

僕自身、嫌というほど経験してきたのですが、こうした記述を見ると、僕のほうにも非があったことがわかります。事実の指摘は相手の感情を逆撫でするだけだったのです。「言えばわかるだろう」というのは僕のおごりでした。そもそもの前提が違うのですから、もう少し相手の立場に立って発信すべきだったのだろうと思います。といっても後の祭りですが……。

誰もが認知的不協和に陥る可能性があります。自分が好きな分野では認知的不協和に陥っているかもしれない。そして陥っている場合、自分で気づくのは難しいものです。認知的不協和に陥っている人同士でつるんでいると、新たに意味不明な解釈が生まれます。

人は自分が深く信じていたことを否定する証拠を突き付けられると、考えを改めるどころか強い拒否反応を示し、ときにその証拠を提示した人物を攻撃しさえする。

前掲書　201ページ

大統領選挙にしても某議員批判にしても、事実の指摘に対して「お前と○○さんは格が違うから黙っていろ」のような攻撃を多数受けました。ただそれもまた人間なのです。

日本だけでも1億以上、世界には約80億もの人がいるのです。それぞれの国で言語も宗教も国柄も政治体制も風習も食事も環境も、何もかもが違うのです。同じ国であっても親がどういう人物だったのか、どの地方で生まれ育ったのかで考え方は変わってくるでしょう。

人間は同じようでそれぞれ違うのです。当たり前じゃないかと言われればそうなのですが、そこがいちばん大事なポイントでした。違うからこそ理解できない場合も往々にしてあります。

僕自身の過ちは、自分の基準で「相手もわかってくれるだろう」と考えていたことです。これで痛みを伴って教訓を得ました。

◆そしてI・6へ

トランプの敗北を認めない人々は、選挙人投票が行われる12月14日にひっくり返るなどと盛んにツイートしていました。そこまではっきり言わないまでも、何かが起こるのかもしれないと、もはや願望に近い感情を発露していたのです。しかし当然12月14日の選挙人投票は普通に終わってしまいます。トランプ氏の逆転など起こるはずもありません。

しかし彼らはそこであきらめることをしませんでした。次は連邦議会で最終確認をする1月6日にトランプが勝利すると言い始めたのです。


大統領選挙以前は日本でほとんど注目されていなかったQアノン的な主張も、日本のSNSで見られるようになりました。もはやカオスです。Ｙｏｕｔｕｂｅでは荒唐無稽な話が連日発信されていました。毎日のように「流れが変わった」と言いながら、デマ情報が拡散され、再生数はうなぎのぼりになっていきました。


一方で僕のほうはどうかといえば、２０２０年12月頃から明らかに再生数が減りはじめました。チャンネル登録者も減りましたし、かなり厳しい状況です。

この原因は何かと考えてみると、いくつか要因が挙げられるでしょう。

まずは登録を解除した人にとって「ＫＡＺＵＹＡが気持ちいいことを言ってくれなくなった」のが大きいと思います。政治系動画には流れがあると僕は考えているのですが、その時々のニュースで何かしらホットな話題があります。そしてホットな話題に対して「保守系ならこう言うよね」といったなんとなく一定の方向性があるのです。

大統領選挙でいえば、流れとしては「トランプは勝っている」です。だからその流れをつかんだ発信をすると、保守界隈から「気持ちいい発信」として評価されるのです。ところが僕はその流れに逆らってしまいました。集団から外れたことをいう面倒くさいやつだと思われたのでしょう。冷静になることを呼びかけているけど、僕も多くの批判を浴びて冷静じゃなかったから言葉にトゲがあるし、バカにした論調だったので、それが一部の人にとって逆鱗に触れたポイントだったのでしょう。

もっとうまくやる方法はなかったかと考えましたが、放置するのも難しいですし、性格的にも、デマ情報を流しまくる連中と今後一緒に仕事をするのは厳しいので、結局、多少の差はあれ同じような結果になったのではないかと思います。

「不正選挙」については相変わらず何ら証拠も出ず、トランプ側の裁判も連戦連敗が続き、バー司法長官ですら「選挙結果を変えるほどの規模の不正は、現在まで確認できていない」と述べるに至ります。それでもトランプ大統領は諦めません。１月６日に連邦議会が行う最終確認でひっくり返すことを模索します。

この頃、「１月６日にペンスが選挙結果をひっくり返す」とか「差し戻す」という真偽不明の話が出回っていました。ただ、これも社会的常識がある人なら鵜呑みにしない粗悪な話でしょう。あくまで最終確認に関する議長職がペンス副大統領だとしても、それは形式的なもので、選挙結果をひっくり返せるわけがありません。ペンス副大統領が自分の一存で結果をひっくり返せるなら、何のために選挙をやったのかと……。民主主義のプロセスをひっくり返すようなトンデモ論でしかないのです。しかし何を隠そうトランプ氏自身がペンス氏に事前に圧力をかけて、選挙結果を覆そうとしていたのです。当然ですが、ペンス氏はこれを断ります。というよりそんな権限はありません。

そして１月６日に悲劇は起こります。トランプ支持者の暴徒が議会に流れ込み、死傷者を出すという前代未聞の事件が発生します。「ペンスを絞首刑にせよ」と暴徒たちはペンス氏に迫りますが、ギリギリのところで退避に成功します。死傷者が出ただけでも異常事態なのに、副大統領が殺害されるような事態になっていたら……。そう考えると恐ろしくてたまりません。

死亡者が出る事態に、日本のトランプ信者たちも右往左往していました。まさに認知的不協和で「暴徒はアンティファだった」という論を唱える者もいる始末です。「ペンスが裏切った」と述べる人間も確認しています。アホですね。

トランプ氏もさすがにまずいと思ったのか、暴徒になってしまうようなトランプ信者を切り捨て、20日に誕生するバイデン新大統領への政権移行をすることを認めるに至ります。11月からの混乱はようやく収束に向かうのです。

◆訂正も謝罪もなく終焉

２０２１年1月20日、厳戒態勢の中でバイデン新大統領が誕生します。

「トランプは勝った勢」は最後の最後までだまされ続けていました。「実は1月20日にトランプ氏が就任する」とか、「20日にバイデン氏が就任するのは、油断させるためのトランプで、実は２月（３月という説も）にトランプ氏が就任する」など、そもそも法的にそんなこと無理じゃないかという陰謀論が展開されていました。一体いくらだまされたら気づくのかと思いましたが、最後までダメでしたね。なんなら原稿を書いている２０２２年６月までだまされ続けている人がいます。彼らは今もトランプ氏が行うとされる「世界緊急放送」を待ち続けているのです……。

ただ僕はそういう人もいるよねとは思っています。世の中から詐欺がなくならないように、ちょっと思考力が弱かったり、精神的に参っているときに変な情報に染まってしまうというのも普通にある話です。だから一般人レベルではわからないわけではないのですが、罪深いのは「発信者側」です。

先ほども触れたように、この時期は「トランプが勝った」みたいな話をすると動画の再生数が伸びたので、信念のないクズは荒唐無稽な話を連日流していました。再生数を見ると相当な利益を得たことでしょう。

人間誰しも間違いはありますが、２か月間も間違いを続けるなんていうのはおかしなことです。しかもジャーナリストであったり、評論家だったり、そういう仕事をしている人が間違い続けるなんていけないでしょう。ただ彼らはずーっとデマ情報に飛びついて拡散した挙げ句開き直っています。

あるジャーナリストを自称する人物などは「トランプが言っていることをそのまま言っただけ」という趣旨の発言をしています。ジャーナリストのくせに情報を精査せず流しまくっているのだとしたら、さっさと廃業したほうがいいでしょう。

別の某作家は最強の逃げ方でごまかしています。当たり前ですが自分の非を認めず、「私は今でも不正があったと信じている」とお気持ち表明で逃げるのです。あいた口が塞がらないとはこのことです。「バイデンだというやつはばかだ」とか「親中派だ」とあおるようなことを言い続けて、全部間違えた挙げ句開き直る……。恐ろしい人間がいるものです。

この手の人たちは、普段マスコミ報道を厳しく批判してきました。マスコミは情報が偏っているとか、ちゃんと報道していないとか……。しかしそうやって散々マスコミを叩いてきたのに、自分がいざデマを流すと認めないし、ごまかすでは説得力がなくなってしまうでしょう。

トランプの周りで陰謀論を述べていた人々は、続々と提訴されています。例えば弁護士で元ニューヨーク市長のルディ・ジュリアーニ氏や弁護士のシドニー・パウエル氏らです。パウエル氏はその後、投票機メーカーのドミニオンから訴えられた際に「分別のある人なら鵜呑みにはしないはずだ」との認識を表明しているのです。日本の一部界隈にはパウエル弁護士を異常に持ち上げる人もいましたが、見事にハシゴを外されてしまいます。パウエル氏には、多額の献金も寄せられていたと言いますから、まさに養分と化していたのです。

◆選択肢が増えた時代の先に

大統領選挙を通じて、「やっぱり同じ界隈にいても団結って難しいよね」という考えを深めるに至りました。

世の中には多くの政治的課題があります。団結してやれるものがあれば、そうしたほうがいいはずです。しかし同じ界隈にいるはずでもそれは難しいものだなと思います。

こういう時代だからこそ「団結」は難しいのです。なぜかといえば、各々にとっていちばん居心地のいい場所ができたからでしょう。ネットの発達によって、マイルドからハードまで、多様な人たちが集まれるようになりました。誰でもそうだと思いますが、自分にとっていちばん気持ちいい場所にいたいでしょう。すき好んで苦行をやる人は稀ですし、居心地のいい場所を選択するはずです。その居場所というのが今は細分化してたくさん存在します。

それはネット上のグループであったり、オンラインサロンであったりするでしょうし、人によっては政党なのだろうと思います。昔は政党をつくるとなると、団体や宗教などが背景にないとお金集めが難しかったのですが、今はネットを通じた集金にも道が拓けました。ですから小規模政党をつくりやすい基盤もあるのです。

そういう時代にあって、２０１９年はれいわ新選組やＮＨＫ党がうまく集票して政党要件を獲得しました。団結の難しさは何も保守界隈に限った話ではなく、左派でも同じ傾向があるのでしょう。

左派系で考えると立憲民主党や社民党もあるのに、それでもれいわ新選組が出てきたわけです。これはやはり、れいわが訴えることが気持ちいいと感じる人がそこにいたからでしょう。その層を拾い集めたということです。

しかし、れいわもそうだし、基本いま出てきている小規模政党はかなり極端なほうを向いています。ここで注意しなければいけないのは、極端な者同士が集まるとより極端になっていくということです。まさにエコーチェンバーの現象です。

いろんなグループがあるなかで、割とイケイケな主張をする人からすると、穏健な人が生ぬるく見えてしまうものです。そこでお互いを認め合えればいいのですが、それが難しいですし大抵けんかになります。そして極端な人はさらに極端になって、現実と乖離していくのです。

もし一時的に共闘関係が結べたとしてもいずれは分裂するのがオチです。誰がリーダーになるとか主導権争いで分裂する未来が見えます。

本当に難しい時代になりました。選択肢が増えたのはいいことですが、それによって私たちはより混乱しているのではないでしょうか。

そして近年は社会が「分断」しているとメディアはあおりますが、見方を変えると人間はもともと分断していたのではないかと思うのです。日本人だけでも1億2000万人いますし、各々考え方が異なります。今までは多様な考え方を知る機会自体が少なかったのですが、現代はSNSなどのツールで自己表現をしている人がたくさんいます。ですから分断というより、もともと違う人たちが自分の立ち位置に気づいただけということも言えるでしょう。

第3章　ＳＮＳは戦争の道具になった

◆陰謀論のどこがまずいのか？

前章で書いたような2021年のアメリカ大統領選挙における陰謀論は、アメリカでは死者を出す事態になりましたが、日本ではごく一部の人のあいだでの出来事でしかありません。

ただ小さな芽だとしても、僕は徹底的に批判しなければならないと考えます。というのも、今はインターネットを通じて誰でもYouTubeだったりTwitterやFacebook、TikTokやInstagramのようなSNSに触れることができます。誰もが情報の受け手であると同時に発信者にもなり得ます。たとえ小さい誤情報や陰謀論だとしても、SNSを通じて爆発的に拡散してしまう可能性を考えると、侮ることはできないのです。そしてたとえ事実ではないとしても、人は動いてしまうものなのです。

実際にアメリカでは死人が出るような議事堂襲撃事件が起こっていますし、それ以前には有名な「ピザゲート」事件も発生しました。

前出の内藤陽介著『誰もが知りたいQアノンの正体』（ビジネス社）に記述があるので、

概要を見てみましょう。

　全米から行方不明になった子供たちが、ワシントンＤＣのピザ店コメット・ピンポンの地下に集められて、オバマとクリントン一味の売春セックス接待の餌食になっているということがまことしやかに噂されたのです。ピザゲート事件と呼ばれます。(中略)二〇一六年一二月四日、エドガー・マディソン・ウェルチという男が銃を持って、ピザ店コメット・ピンポンに押し入りました。コメット・ピンポンの地下に誘拐された子供たちが監禁されていると信じていた彼は、義憤にかられ、店の奥にある事務所に銃弾を撃ち込み、鍵を壊して「さあ地下室の子供を救うぞ」と室内に侵入。
　しかし、そもそも店に地下室そのものがありませんでした。

『誰もが知りたいＱアノンの正体』　１８０ページ

彼は逮捕され、裁判で有罪判決を受けています。
とんでもないバカがいるものだと批判するのは簡単ですが、これはどの国でも起こりうる話なのではないでしょうか。ネット上の陰謀論を鵜呑みにして、正義感からウェルチはピザ店に押し入ったのです。しかし情報はデタラメですから、子供が監禁どころか地下室すらありません。

ウェルチのように押し入らないまでも、このような話を鵜呑みにしている人はごまんといるでしょう。そしてそれらの人の中から行動派が出てくると大変です。

大統領選挙の顛末を通じて、僕はとてつもない危機感を抱きました。もし他国の勢力がSNSを使って、混乱させる目的で偽情報を流したらどうなるでしょう。そしてその偽情報が、ある界隈にとっては「気持ちのいい」ものだとしたら……。先が思いやられます。特に米大統領選の顛末を見れば、どのインフルエンサーとファンが陰謀論に引っかかりやすく、また異論を唱える人物を攻撃しやすいかは明確でしょう。保守派は国防に興味と関心があるのに、一部の人々は情報に無頓着すぎるのではないでしょうか。

◆実は僕も陰謀論に引っかかっている

今こうやって陰謀論批判をしているわけですが、僕自身かつては陰謀論に引っかかっていたのです。それは今から10年ほど前に盛り上がったＴＰＰ（環太平洋パートナーシップ協定）陰謀論です。

経済系の右派の論者が、日本がＴＰＰに加入すると、アメリカにいいようにやられてしまうという「アメリカ陰謀論」をぶち上げ、僕もこの説を鵜呑みにしていました。

ところがその後、陰謀を企てているはずのアメリカがまさかの離脱。ここで一気に冷めてしまいました。当時はネット右派は「反ＴＰＰ」で盛り上がっていたものですが、熱狂のときこそ注意が必要ですね。こうした経験もあり、陰謀的論説にはより気をつけるようになりました。


大統領選挙での陰謀論に引っかからなかったのは、明らかに日々出てくる情報がおかしかったということもありますし、周囲の人が引っかかっていなかったというのも大きいです。

そもそも陰謀論というのは、複雑すぎる社会を極端に単純化するものです。巨大化かつ複雑すぎて、社会のことを考えると混乱するものですが、それをわかりやすい「敵」をつくり出して、わかりやすくするのが定番です。何も考えなくても「わかったような気がしてしまう」のが陰謀論です。思考するのは疲れることですから、それを放棄しているわけですが、世の中はそんなに単純ではないし、わかりやすい敵が牛耳っているようなものでもないでしょう。

大統領選挙の際にも出てきた「ディープステート」とか、「国際金融資本」「ロックフェラー」「ロスチャイルド」「ジョージ・ソロス」「ビル・ゲイツ」などがよく対象にされます。そのような敵を設定したうえで、彼らが全てを仕組んだかのように論理を組み立てていきます。大抵はお金持ちですね。

本来さまざまな思惑があったり、利害関係が入り混じるものです。国家の思惑、さらに企業の思惑もあるし、国の数だけ、企業、個人の数だけ思惑があります。それらは本来バラバラなもので、一枚岩にはなりません。お金持ちは陰謀論のネタにされがちですが、お金持ちこそほかのお金持ちと利害関係がぶつかりまくるでしょう。それなのに、陰謀論は極端に単純化しすぎています。

陰謀論のパターンとして、先述の『陰謀論入門 誰が、なぜ信じるのか?』にこのような記述があります。

そのほかの陰謀論も、似たような軌跡を辿る。理屈は同じで、対象が違うだけだ。携帯電話技術の５Ｇは、二〇一九年にはわれわれの脳を破壊していたが、二〇二〇年には新型コロナウイルスを広めていた。二〇一九年には、ワクチンは自閉症の原因となり、そして今は、われわれに追跡装置を注入したり、磁力を帯びさせたりしている。理論は新しい状況に合わせて改変され、同じ人たちがそれを繰り上げ、修正し、信じ、共有する。

『陰謀論入門　誰が、なぜ信じるのか？』９ページ

僕はこの記述を泣くほど笑いながら読みました。なにしろ今までネットでこれでもかと見てきた光景だったからです。手を替え品を替え、同じような内容が繰り返し拡散されていくのですが、そこにハマっている人は全く気がつきません。そしてハマる人は養分としてお金を献上していくことになります。

◆陰謀論は稼げる

なぜ陰謀論が蔓延するのかといえば、それを発信する人がいて、共感する人がいるとい

うことだと思います。

そしてなぜ陰謀論を発信するのかといえば、それが儲かるからというのは見逃せない要因でしょう。第2章で指摘したように大統領選挙でデタラメな情報を流していたチャンネルは、再生数が相当伸びていました。実際に陰謀論は「儲かる」のです。大統領選挙後、読売新聞が特集を組んで取材をしています。

「最初は、英文法を解説するチャンネルだった」。男性が読売新聞の取材に対し、経緯を明かした。

当時は再生回数が数十回と低迷していた。男性は昨年、試しに大統領選を取り上げてみた。「不正があった」とするトランプ大統領（当時）側の主張を紹介すると、再生回数が100倍以上に急上昇した。

「このネタをやれば数字が伸びる」。男性は、情報サイトで知った話を基に発信を続け、10万回以上再生されることもあった。視聴者の多くは中高年だった。

男性自身も不正を信じるようになり、最近は「ミャンマーのアウン・サン・スー・チー氏は闇の政府の一員」といった荒唐無稽な話にも言及している。

配信側は、再生回数などに応じて広告収入を受け取れる。男性は「毎月、新卒社員の初任給ほどは入る」と話した。

「陰謀論で再生急増、『金稼げる』くら替え相次ぐ…［虚実のはざま］第２部　作られる『真相』〈3〉」（読売新聞）　２０２１・04・07
https://www.yomiuri.co.jp/national/20210407-OYT1T50045/

新卒社員の初任給ほどが毎月余分に入ってくるとなれば、家計が助かるどころではないでしょう。やはり「好きなことで生きていく」のは難しい話で、陰謀論という禁断の果実に手を出してしまう投稿者がいても全然不思議ではありません。ただこの流れが加速すると、本当に日本でも米大統領選挙における議事堂襲撃のような事件が発生してもおかしくないのです。

読売新聞の記事では新型コロナウイルスのワクチンに関する陰謀論を流す人物にも取材をしています。「コロナワクチンにはマイクロチップが入っている」、「人類を管理し、人口削減するのが狙いだ」などと主張するのはミュージシャンの男性で、コロナでライブができないため、音楽で稼げずに始めたＹｏｕＴｕｂｅでそのような情報を流したところ、チャンネル登録者は２００人から5万人にまで増えたと言います。これはもうやめられませんね。

この手の陰謀論動画についているコメントを見ると、「真実を話してくれた」とか、「勇気がある」と称えられることがしばしばです。これは一投稿者の立場で考えてみると、普通に嬉しいことでしょう。それが日々続いていくと、先ほどの予備校講師のように、いつの間にか陰謀論を自分自身が信じるようになってもおかしくはありません。

加えて「視聴者の多くは中高年だった」というのもポイントとして挙げておきたいと思います。大統領選挙にしても、某議員批判のときもそうでしたが、僕に対してやたらと上から目線なのが印象的でした。「お前」呼ばわりは当然として、「小僧」とか、同年代もしくはちょっと年上の人だと使わないであろう言葉を用いるのです。おそらく中高年なんだろうなと思っていましたが、その傾向は強いようです。かつて「余命三年時事日記」というブログに触発された人々が、ある弁護士に懲戒請求を送りまくるという事件が起こりました。被害を受けた弁護士は、不当な懲戒請求を送った人に対して訴訟を起こしていきますが、このときも中高年が多かったと指摘されています。年齢を重ねるほど思考も謙虚になっていきたいものです。

◆陰謀論で家庭崩壊

陰謀論は人間関係を壊します。もし身近な人が陰謀論にハマってのめり込んでしまったらシャレになりません。

先述の読売新聞の特集では、こんな事例も紹介されています。

「妻はまるで別人になってしまった。一緒に住んでいても、違う世界に行ってしまったように感じる」

西日本に住む会社員の男性が悲痛な声で語る。

専業主婦の妻は温厚な性格だった。アレルギー体質の男性を気遣い、妻は手間をかけて食材を選び、食事を用意した。新型コロナの感染拡大初期は毎朝、「怖いから気をつけて」とマスクを手渡してくれた。

男性が異変に気付いたのは昨年夏頃。妻はマスクを着けなくなり、とがめられると激高した。「コロナなんて全部ウソなのよ」

ユーチューブで目にした陰謀論の動画にはまり、毎日、似た内容を見ているうちに影響を受けたためだった。

男性は今年に入り、コロナやワクチンに関する公的機関の見解をまとめた資料を作った。接種するかどうかを、正確な情報を基に話し合おうと思ったからだ。だが、豹変してしまった妻は「闇の政府にワクチンでコントロールされる」「国やメディアが真実を隠している」と泣いて反発し、平行線だった。

「温厚だった妻、陰謀論の動画にはまり『まるで別人に』…［虚実のはざま］第4部　深まる断絶〈4〉」（読売新聞）２０２１年9月14日
https://www.yomiuri.co.jp/national/20210914-OYT1T50051/

陰謀論を一度信じ込むと強烈に周りに拡散しはじめる人も出てきます。大抵それは「善意」であり、本当に世界が危ない、家族が危ないと思っているからこそ強硬に広めようとするし、周りの人を「助ける」つもりで本人はやっているのです。それゆえに対応するの

が難しくなります。
しかも悲しいのは、身近な夫より、全然知らないし会ったこともないような陰謀論者のことを妻が信用しきっているという点です。僕がこの夫の立場だと考えると悲しくて感情のやり場に困ります。

２０２０年以降、新型コロナウイルスが猛威を振るいましたが、コロナやワクチンに関する誤情報や陰謀論はこれでもかと拡散されています。
コロナはそもそも存在しないとか、ワクチンを打ったら2年で死ぬとか……。人口削減のためにワクチンを打たせているとか陰謀めいた話がネット上に大量に出回っています。

新型コロナに対する政府の対応については、確かに賛否両論あるでしょうが、過剰とも言える対応を取ったからこそ、日本では他国に比べると死者を抑えることができたのではないかと思うのです。しかしそうした閉塞感の中で、陰謀論をたきつける人物がおり、それを見聞きして極端なコロナ観、ワクチン観を持つ人が多く出てきました。その犠牲者こそ今取り上げた記事の奥さんであり、旦那さんでしょう。極端なほうにのめり込んでしまうと、情報を見る目が歪んでしまいます。大抵陰謀論をたきつける輩は、従来の認識を真逆にするような洗脳を行うので、それに釣られて「マスコミ情報は全部ウソ」とか「テレビで識者とされる人は全てディープステートに金で雇われている」というように、既存のものを全否定し、新しい価値観を植え付けられるのです。

ＹｏｕＴｕｂｅ側も対応に乗り出しています。コロナやワクチンに関する不確実な情報を流す動画には削除や広告に制限をかける措置を行っています。これ自体はいいと思うのですが、陰謀論者はそれを逆手に取りました。

「正しいことを言っているから削除されるんだ」と視聴者に訴えかけたのです。これは単純に内容がデタラメだから削除されているだけなのですが、転んでもただでは起きませんね。なんなら「削除は勲章」くらいに捉えている節があります。しかしそれに説得力を持たせてしまったのは、これまでのＹｏｕＴｕｂｅの対応だった面もあるように思います。

僕自身、２０１８年に一度チャンネルを削除されかけたのです。基本的にＹｏｕＴｕｂ

ｅは動画を削除する際に、具体的に何が悪いのかを個別に教えてはくれません。ざっくりとした「ガイドライン違反」で削除してくるので、今後どう気をつけたらいいのかは、自主的な判断になってしまいます。具体的に「こういうのが悪い」というのであればわかりやすいのですが……。もはや巨大すぎるプラットフォームになってしまったＹｏｕＴｕｂｅなので、管理が追いついていないというのもあるでしょう。その時は異議申し立てをした結果、削除は間違いだったと認められ、なんとか消滅は免れました。何げにあの時がいちばんのチャンネルの危機だったかもしれませんね。

そういった曖昧な削除基準はありますが、コロナ禍では状況が違います。特にワクチンに対する不安をあおるように、しかも前提が怪しい情報を拡散しているのであれば、ただ社会を不安定にさせるだけなので削除も納得です。

◆もしも、身近な人が陰謀論者になってしまったら……

あまり考えたくないことですが、ごく身近な人が陰謀論に流されて、周りに迷惑をかけることも十分にあり得る話です。では、もしそうなってしまったら、私たちはどうしたらいいのでしょうか?

まずはそれを否定をしないということです。

僕自身、Ｔｗｉｔｔｅｒなどでその手の方と何度もやり取りしましたが、否定したところで全く意味がないのです。仮にこちらが陰謀論を否定するようなデータや論拠を出したところで、相手は検討すらしません。事実で人は変えられませんし、相手なりの「事実」を持っています。前提が根本的に違うわけですから、議論も何もなく、お互いが罵り合って終わりです。


また否定は相手をより頑なにさせてしまうケースがあります。誰しも「自分が間違っている」とは思いたくないので、自分を肯定してくれる情報を必死に探すものです。ネット時代では真偽のほどは別にして、自分を肯定してくれるような情報は簡単に見つかります。まぁ大抵デタラメなのですが、今度はそういうものを持ち出してくるでしょう。そもそも陰謀論に傾きやすい人は「証拠」とか「根拠」の基準が相当低いところにあります。公的機関の統計や調査よりも、よくわからん謎のユーチューバーであったり、顔も名前も出していない匿名のＴｗｉｔｔｅｒユーザーの投稿を「証拠」や「根拠」として持ち出してくることも多いです。

そのデタラメさを指摘されると、最後には「お前は勉強不足だ」とか言って去っていくのです。否定されたうえにばかにされると、より陰謀論コミュニティに染まることも考えられます。基本的に一般的には受け入れられないことを言うので、家族や会社、学校で孤立し、受け入れてくれる人が陰謀論コミュニティしかなくなるのです。このあたりは宗教と似ています。そしてよりどっぷり陰謀論コミュニティに染まって、さらにエコーチェンバー効果でおかしな方向に行ってしまうのでしょう。

では否定せずにどうしたらいいのかというと、まず話を聞くことです。そして可能であれば、当たり障りのないかたちで疑問の種をまき続けるしかないでしょう。つまり否定せずに問いかけるのです。結局は本人に気づいてもらうしかありません。

陰謀論にハマっていたけど、抜け出したという記事も多くありますが、やはり本人が気づいて変わるしか道はないのだと思われます。ＮＨＫが２０２１年に報道した記事を見てみましょう。

主婦のあかりさん（仮名）は、薬や手術を使わずに体の不調を治そうとする「代替医療」の情報を共有するサークルに参加していました。医療従事者や経営者、教師など60人ほどがメンバーだったといいます。

新型コロナウイルスの感染が広がった後、メンバーの何人かがワクチンに関する根拠の不確かな情報をサークルのSNSに書き込むようになりました。いわゆる〝陰謀論〟のような荒唐無稽な話も多かったと言います。（中略）

サークルのメンバーは、「ワクチンは遺伝子を操作する」といった動画などを、外部からは見えないLINEやフェイスブックなどのSNSで共有し、閉ざされたコミュニティーの中で〝誤情報〟が蓄積されていきました。

それらを見るうちにあかりさんも「ワクチンは国や製薬会社による陰謀だ」と信じていきました。そして、自身もサークルへの勧誘と並行して〝ワクチンと陰謀論〟の考えを広めていったといいます。

あかりさん（仮名）「人助けをしているような高揚感がありました。人が知らない真実を知っているという、一種の優越感にすがっていた部分は大きかっただろうと今振り返ると思います」

「ワクチン〝誤情報〟や〝デマ〟私はこうして抜け出した」（ＮＨＫ）２０２１年９月27日
https://www.nhk.or.jp/gendai/comment/0016/topic032.html

このようにどっぷり陰謀論にハマっていたあかりさんですが、気持ちの整理のために始めたＴｗｉｔｔｅｒが転機になったと言います。閉鎖的なコミュニティとは違う情報に触れ、自分が「真実」だと思っていたことに疑問を持ったのです。それまではまさにエコーチェンバーが発動していたのでしょう。閉鎖的なコミュニティで共鳴して、より深みにハマっていました。

結果的にあかりさんはサークルを退会して、ワクチンも接種しましたが、それには相当な勇気が必要だったとも話しています。

『私のいたグループは仲間意識が強く、違う考えの人は〝排除〟しようとします。そこから抜け出すには相当の勇気と覚悟が要ります。私がこれまでの自分の考え方や態度が間違っていたことに気付き、思想や思考を１８０度転換したことで、それまでの人間関係が破綻しました。
いま悩んでいる方は、考え方を変えることを恐れないでほしいと思います。特に今回のような、自分自身はもとより周りの人の命に関わることは良く考えてほしいと思います。誤情報のコミュニティを脱出しても、新しい社会生活はできます』

一度仲間意識が芽生えると、間違っていたとしてもなかなか抜けられない心理も理解できます。ただそこから抜け出す勇気こそ真に求められているのです。

陰謀論にハマったのが家族や大切な人であれば長期戦を覚悟しなければいけないでしょう。一方でそこまでの関係性がないのであれば、すぐに離れたほうが無難です。陰謀論を垂れ流す人と関わってもいいことはありませんので、そっとフェードアウトするといいでしょう。

◆神真都Qの衝撃

陰謀論者は時に暴走します。その典型例が「神真都（やまと）Q会」でしょう。

２０２１年に結成された神真都Ｑ会はＱアノンの要素を取り入れつつ、新型コロナウイルスのワクチン接種に強硬な反対姿勢を示していました。
おそらく読者のほとんどの方には理解できない考えを持っています。結成宣言を見ると、次のように書かれています。

我々はこれまで永きに亘り支配されてきた悪の権化イルミナティ、サタニスト、ＤＳグローバル組織、最悪最強巨大権力支配から「多くの命、子どもたち、世界」を救い守る為、自らの命をかけ活躍して頂いた偉大なる先駆者達偉大なるドナルド・トランプ大統領をはじめ、多くのホワイトハット、Ｑ、ＨＥＲＯ'Sたち、世界中の光輝く素晴らしい方々が切り拓いてくださった光の神道を、心からの感謝と敬意と勇気をもって「同じ真意、神威、目的」を掲げ、Ｑと云う同じ1つの光の旗のもと集い善なる光のＱ活動を健全に行うものと宣言します。　ルールブック（神真都Ｑ会結成宣言）

まるで意味がわかりませんが、どうやら彼らは「悪い宇宙人」と戦っているようです。
侮れないのは、参加している人数です。読売新聞が報じたところによると、２０２２年

1月9日に全都道府県でワクチン接種に反対するデモ活動を行っており、警察当局が確認したところによると中高年を中心に約6000人が参加していたといいます。こんな荒唐無稽な話を信じる人がそんなにいて、さらに街頭に出て活動を展開していると考えると……恐ろしい。過激な思想を持つ神真都Q会は、東京ドームで行われたワクチンの集団接種で暴れたり、東京都内のクリニックに乱入して「ワクチンを打つのは犯罪だ」などと大声を上げるなどして、逮捕者を出すまでに至りました。警視庁公安部による逮捕で、オウム真理教の再来にならぬよう早めに潰しにかかったかたちです。

とにかく主張や考えが支離滅裂で、例えば警察官はゴム人間で、撃退には松ヤニが有効だなどというものもありました。実際にデモ活動の現場で、松ヤニを警察官に掲げている構成員が確認されています。

筑波大学教授の原田隆之氏は、「過激化する反ワクチン集団『神真都Q』を放置してはいけない理由」と題する記事を書いています。この中に陰謀論者の特徴についての部分があるので見てみましょう。

人口統計学的特徴
男性、未婚、失業者
収入が低い、学歴が低い
社会的孤立

認知的特徴
合理的、科学的思考スタイルの欠如
確証バイアス（自分の信じたい情報のみを受け入れて、あとは拒絶する）
根拠のない信念を無批判的に受け入れる傾向
低い知的レベル

心理的特徴
高い不安傾向
低い統制感（自力で物事をコントロールできるという自信が乏しい）

社会からの疎外感
自信欠如
ナルシシズム（ユニークな存在でありたいという心理）

政治的信条
左・右いずれかに両極端（ただし、保守派がより傾倒しやすい）
権威主義

この論文では、「敗北と排除が最大の誘因であるため、陰謀論は敗者のためのものであり、権力者やその連合を非難する傾向がある」と断じている。そして、社会的敗者たる陰謀論者は、「ほかの人が持っていない希少で重要な情報を自分が持っていると感じ、特別な存在であると感じられるため、自尊心を高めることができる」ために陰謀論に傾倒するのだという。

「過激化する反ワクチン集団『神真都Q』を放置してはいけない理由」
（筑波大学教授・原田隆之）　2022／04／08

https://news.yahoo.co.jp/byline/haradatakayuki/20220408-00290436

少なからず当てはまる部分もあるのではないかと思います。この手の話を知ったうえで自らを省みるというのが大事でしょう。原田教授は「不安」という要素に注目しています。特にコロナ禍で仕事や生活に影響が出た人も多いでしょうし、その不安や孤立を紛らわせてくれるものが陰謀論だったのではないかと推測しています。不安ゆえに逆張りで「コロナは存在しない」という極論に流れてしまったのではないかということです。

個人的に思うのは、一度陰謀論にハマってしまう人は、別の陰謀論にもハマり続けるということです。神真都Ｑはその典型で、大統領選挙の「不正選挙」の話にハマって、その流れでコロナやワクチン陰謀論に引っかかっています。さらにこの後、ロシアによるウクライナ侵攻を受けて、ロシア擁護まで展開する人が多く見られます。深みにハマりすぎなのですが、やはり自らを省みてどこかで軌道修正をする必要が出てきます。

ただ根本的に国語能力に不安がある人はそれ自体が難しいのではないかと思います。国語能力といっても、中学生レベルの読み書き能力です。僕も少なからず陰謀系の人とやり取りをしてきましたが、受け答えがおかしく、話がつながっていなかったり、文章として成立していなかったりする場合が見られます。

国語能力に問題があるという前提で考えてみると、陰謀論に飛びつく理由もなんとなく想像できてしまうのです。国語能力に問題があると、自分が思っていることをうまく伝えられません。なんとなくモヤモヤしたものが頭の中にあるけれども、それをうまく言語化できないのです。そんなところに「○○が悪い。○○が真実」のように、「モヤモヤの言語化」をわかりやすく示してやると、早合点して飛びついてしまうのではないでしょうか。このような単純化された陰謀論であれば、今までうまく他人に伝えられなかった思いを伝えることができます。なぜなら、たきつけている人間の反復をするだけでいいからです。それで他者に伝わって、うっかり勧誘できてしまったら、その人にとって成功体験として残るでしょうし、自信を深めてより活動に熱心になってしまうことも考えられます。

ただ安易に陰謀論に流れるのは、思考のショートカットをした結果であり、より思考力が衰退する要因につながるのではないかと思います。

いけません。

◆ＳＮＳは戦争の重要な道具になった

陰謀論が拡散され、信じる人が一定数出てくると、社会が混乱する要因になります。アメリカでは２０２１年１月６日の議会襲撃で表面化しましたし、日本でも警戒を怠ってはいけません。

情報は武器なのです。一部のおかしな陰謀論者だけで済まされない問題があります。特にネットで世界中がつながっている現代社会では、他国から偽情報が流されて国内が混乱することを想定しなければいけません。国防の根本は国民のリテラシーです。そこをまず認識する必要があるでしょう。現代の戦いは、武器を使ってドンパチやるだけでなく、情報を巡る戦いがあるからこそ、誰もが当事者になりかねないのです。

実際問題として、ロシアなどは盛んに情報工作をしているのです。

２０２２年2月24日、ロシアがウクライナへの侵攻を開始しました。軍事的緊張はそれ以前から伝えられていましたが、多くの人は「まさかロシアが攻め込むわけはない」と考えていたでしょう。ところがロシアは強硬手段に出たのです。この戦いを巡っては日本国内でもさまざまな論考が見られました。なかにはロシア側の言い分を鵜呑みにしている人物もちらほら……。

そのロシアが情報工作に力を入れているのは、やはり侵攻先であるウクライナです。2014年のクリミア併合以降、ウクライナ東部地域を巡って内戦状態が続いていましたが、その東部地域を対象とした工作が継続して行われてきました。そしてその荒唐無稽な情報が日本にも伝わり、一部日本人もだまされる始末です……。

デイヴィッド・パトリカラコス著『140字の戦争 SNSが戦場を変えた』(早川書房)を見ると、ロシアがSNSを駆使して、いかに情報工作を行っているかが記されています。第6章に登場するロシア人のジャーナリスト志望ヴィターリ・ペスパロフが、ロシアのクリミア併合による経済制裁が原因で失業し、「トロール(荒らし)工場」で働くことになった経緯が書かれています。

雇われたヴィターリは、ウクライナ向けの「ウクライナ２」というプロジェクトに参加することになります。仕事としては、ウクライナに関連するニュースを見つけて、オリジナル記事に見えるように「書き直す」というものです。約８００ワードの記事を、一日に20本書き直すのがノルマでした。この書き直し記事のターゲットはロシア語を話すウクライナ人です。特に禁じられていたのは、ロシア批判や分離主義勢力を批判することでした。仕事は明確なプロパガンダというわけではないのですが、給料は一般的なそれよりいいため、ヴィターリは疑問を持ちながらも働くことになるのです。

そして次第にこの「会社」の異常性が明らかになってきます。

二階は「ソーシャルメディア部門」だった。ロシア政府の対ウクライナ政策を支持する風刺漫画やミームを作り出して、ソーシャルメディアで拡散するその部門では、八人ばかりが働いていた。三階では、ウクライナ人を装ったブロガーが、自分たちが置かれた悲惨な状況を訴える偽の情報を書き連ねていた。たとえば、キエフの幼稚園に通う子どもには十分な食料が行き渡らないとか、暖房も電気も使えない市内の地域があるといった話だ。彼らはまた、アメリカ人に成りすまして英語のブログも書き、オバマ大統領の対ロシア政策を批判した。
『140字の戦争 SNSが戦場を変えた』206ページ

この記述を見て、日本でもこのような工作が行われているのではないかと考えてしまいました。特にSNSは匿名でやっている人が多いわけですし、素性もわからない人だらけです。そのような人たちが米国の大統領選挙でもデタラメな情報を流しまくっていたので、もしかするとただのバカではなく、なんらかの意図を持った工作ではないかと考えることができるでしょう。

◆混乱させたら儲けもの

2014年7月17日、ウクライナ東部上空を飛行中のマレーシア航空17便が、親ロシア派の分離主義者によって撃墜される大事件が発生しました。乗員乗客は全員死亡です。この時、分離派が使っていたのはロシア製の地対空ミサイルだったのですが、ロシアは情報戦を展開して、責任を否定しました。この時こそトロール工場は大忙しで、撃墜はウクライナの仕業だとする記事のリンクを至るところに貼りまくったと言います。

手当たり次第にリンクを張った目的は二つあった。
第一に、国内の有権者が進んで信じ、それゆえ拡散するようなナラティブを提供して、国内世論の基盤を固めることである。そしてヴィターリも困惑した第二の目的とは、単に少しでも多くの混乱のタネを撒き散らすことであった。すなわち、撃墜現場で起きた事実に、強引なカウンターナラティブで対抗する。それも、説得力のあるコンテンツによってではないロシア側の主張は全くの虚偽にほかならない。ロシア政府は、コンテンツの圧倒的な量によって、事実に対抗しようとしたのである。それは、現実的とは思えないやり方だった。

前掲書　２１０ページ

ここで「ナラティブ」という言葉が出てきましたが、今後一般のニュースでも聞くと思いますので、触れておきましょう。ナラティブとは「語り」「物語」などと訳されますが、情報戦における都合のいい物語という意味合いで認識するとわかりやすいと思います。先ほどの記述だと、撃墜現場で事実に対抗するために、ロシア側にとって都合のいい物語（ナラティブ）を作り出し、自分たちは悪くないとアピールしたいわけです。勝手に作り出しているので、前提が事実とは限りません。

この話で特に恐ろしいのは、「混乱のタネを撒き散らす」という点です。実際問題、突拍子もない話だとしても、一瞬「本当かな?」と考えてしまうものです。その時点で情報の受け手である私たちは若干の混乱状態に陥っているわけですし、偽情報を出す側は儲けものでしかありません。なにしろSNS全盛の現代において、偽情報はとても安価に流せるからです。それなのに、人々に混乱のタネをまいて動揺させられるのだとしたら、費用対効果としてはきわめて優れていると言えるでしょう。

ロシアはウクライナの東部地域で、ロシアに都合のいいナラティブを流し続けていました。どういうものかといえば、「ウクライナ政府はファシスト政権で、ロシア語を話す東部地域住民を迫害している」といったものです。そうしたナラティブをじわじわと浸透させることで、東部地域に混乱を生じさせ分断していくことができます。そして悪いのはウクライナであり、アメリカであり、ドイツだということをナラティブに盛り込むことで、ロシアにとって有利な状態を生み出そうとしていたのです。

実際問題、アメリカやEU諸国も対応に苦慮していました。クリミア併合以来、経済制裁はしているもののロシアの考えを変えさせるようなものではありませんし、宣戦布告して正規軍をウクライナに派兵したわけでもないので、中途半端な対応しかできませんでした。

ところがロシアも道を踏み外してしまいます。それが２０２２年2月24日のウクライナ侵攻なのです。実際に侵攻しなければこう着状態でさらにロシアが有利になる展開も考えられましたが、攻め入ってしまったのでより強力な制裁が発動され、各国からウクライナへの武器や物資の支援が届くことになります。

この展開もデイヴィッド・パトリカラコス氏は予見していました。

どの戦争においても、どちらの側の当事者も、いま解き放っている力をいつか制御しきれなくなる日が来るのではないか。ウクライナの「ファシスト政権」がロシア語を話す東部の住民を迫害しているというナラティブを、ロシア政府が撒き散らせば撒き散らすほど、親ロシア派は、ウクライナを叩き潰せとロシア政府に圧力をかけた。

（中略）

ロシアやイランのような国が、あるいはハマスやＩＳのようなテロ組織が、みずからの好戦的なレトリックによって、あとには引けない状態に追い込まれる日も近いのではないかと不安になる。

前掲書　３６８ページ

ロシアにとって都合のいいナラティブを撒き散らした結果、逆に追い込まれて侵攻してしまった……。まさにそういう展開だったのでしょう。追い込まれたロシアはプーチン大統領が勝手な理屈を生み出して、ウクライナの主権を侵害するような論文を発表し、ウクライナ東部のドネツク、ルハンスク地域の独立を承認したのでロシアが擁護する必要があり、ネオナチが悪いとかウクライナのせいにして侵攻を始めてしまいました。

ロシアがウクライナに侵攻した結果、ウクライナはめちゃくちゃになってしまいました。軍民を問わず多くの犠牲者が出ていますし、数百万単位で海外への人の避難も行われました。地域にもよりますが、仮に終戦したとしても復興は容易ではないでしょう。

ロシアは開戦後も嘘をつき続けています。典型的なものは「軍事施設しか攻撃していない」というものです。学校や文化施設を盛んに攻撃しておいて、それはないでしょう。それでも言い続けるのがロシアの強みとも言えますが、こんなんだからロシアの話を鵜呑みにしてはいけないのです。

日本にもロシアの主張を鵜呑みにしている人たちがいますが、もう少し慎重になってもらいたいところです。ちなみに米大統領選挙以降の傾向で言うと、危うい情報に引っかかっている人もいます。大統領選挙、ワクチン陰謀論、ロシア擁護論……。この人たちに関しては、もう救いようがないとあきらめの境地です。

◆初動でナラティブ優位を確立したゼレンスキー大統領

ロシアのウクライナ侵攻は、ロシアの狂気としか言いようがありません。21世紀になっても20世紀的な戦い方をする国があるのだという事実を思い知らされましたし、どんなにつながりがあろうとも、やる時はやるんだなと、多くの方が当たり前に再認識されたことでしょう。

今後の戦闘ではロシアがウクライナを押し込むかもしれませんが、長期的にロシアは衰退していくしかないでしょう。あれだけのことをやってのけたわけですから、経済制裁の解除は容易ではありません。ただ権威主義国とのつながりを深めて、第三次世界大戦を誘発する可能性もあるので、十分な警戒が必要です。また、核兵器のような大量破壊兵器の使用にも注意しないといけませんから、ウクライナやウクライナを支援する各国もロシアを攻められないという現実があります。どちらにしろ、ロシアも窮地に立たされている一方、厳しい状況でナラティブ優位に立ったのがウクライナです。

これはゼレンスキー大統領のやり方がうまかったと言えるでしょう。開戦初頭に「ゼレンスキーはすでにキエフから逃げた」という情報が流れると、すかさず「私はここにいる」とキエフで撮影した動画で発信したのです。

まさにスマホという現代的なツールを情報戦の武器として使っています。ゼレンスキー氏の発信は、そのままSNS上で広がり、それをテレビが拾ってさらに拡散し、そのテレビ報道をもとにまたSNSで盛り上がるというような循環をしていきます。また、ゼレンスキー氏は各国の議会でリモート演説をすることによって、ウクライナへの支持をより引き出すことに成功しています。開戦前は国内での支持率が芳しくなかったゼレンスキー氏ですが、開戦後はリーダーとしての地位を確立したのです。

開戦に踏み切ったロシアの側に圧倒的な非があるという前提に、ゼレンスキー氏の情報発信のうまさが加わって、ナラティブ優位を維持しています。

しかしロシアは少しでもナラティブ優位に持っていくため、偽情報を流しています。そして「ロシアは軍事施設しか攻撃していない」とか、「ブチャがロシア軍の支配下にあった間、暴力的な行動に苦しんだ地元住民は一人もいなかった」などと虐殺を否定してみたり……。

恐ろしいことに日本国内でもロシア的な見方でロシアを擁護する例が見られます。元駐ウクライナ大使の馬渕睦夫氏は、「毎日毎日、プーチンの悪口ばかり。最近はブチャで虐殺したと。あれ、虐殺したのはウクライナの軍、警察当局、治安当局ですよ」と2022年4月9日の講演で語ったことが、朝日新聞の報道に出てきます。これも何ら根拠のない話なのですが、それほどの肩書のある人が言うのだからと信じ込んでしまう人もいるでしょう。講演の趣旨としては「世界を影から支配する勢力（ディープステート）がロシア支配のために、ウクライナを利用してプーチン大統領に戦争を仕かけた」ということのようです。実に回りくどいやり方をするのですね。

ちなみにこの馬渕氏は、2020年のアメリカ大統領選挙の結果についても「トランプ大統領が圧勝した」と著書に書いています。主張としては「不正選挙があった」ということなのですが、その根拠となるのは、すでにフェイクとして否定されている話ばかりなのです。

馬渕氏は「ディープステート（闇の政府）」が世界を牛耳っているかのように主張していますが、かなり根拠が乏しいものです。彼の著書『ディープステート　世界を操るのは誰か』（WAC）を読むと、「つまり、ディープステートには特定の本部建物があるわけではなく、課題に応じて世界の仲間が集まって必要な決定を行っていることが想像される」としています。「想像される」とか「思われる」という程度の話であって、歴史的な事象を強引につなげて「ディープステート」なる偶像を作り上げているのです。そしてディープステートは万能なので、偶然性は排除されています。世界はさまざまな偶然に満ちています。それを全てコントロールするなんていうのはどだい無理な話です。

ちなみにトランプ前大統領も「ディープステート」について言及したことがありました。ただこのときは選挙で選ばれていない官僚機構について述べたもので、馬渕氏が主張するようなものとは一線を画していると言えるでしょう。定義もよくわからない。それがディープステートです。

しかし一度「ディープステート」の話に流されてしまうと、それを前提に話をしてしまうので本当に厄介だと思います。僕がディープステートは根拠がないというと、Ｔｗｉｔｔｅｒでは「こんなに明確なのになぜわからないのか？」「お前もＤＳ側か」などと言われることがあります。ディープステートのフィルターを通すと、世界が歪んで見えてしまいます。こうなると外から言っても反発されてより信仰心を深めるだけなので、やはり本人が気づくような疑問を投げかけていくしかありませんね。

そしてこの手の話は対象が何であるかによって、引っかかったり引っかからなかったりするように思います。馬渕氏の話に乗っているのは保守派の一部が多いように思いますが、ロシアについては警戒感がないので鵜呑みにするのですが、もともと保守派は中国に対してものすごい警戒感を持っているので、中国関連の情報には引っかかりにくい傾向があります。

◆ファクトチェックはフェイクニュースに勝てない

現代人は本を読まないといわれますが、スマホを通じて毎日ものすごい量の文字を読んでいます。ただネットにはありとあらゆる怪しい情報が氾濫しているので、何を信じたらいいのかわからないという方が多いのではないでしょうか。混乱するほど大量にある情報の中で、やはり目立つのは「トゲのある情報」です。今までの常識の真逆を言うとか、とにかく頭に衝撃を与えるものです。しかし衝撃的なものほど疑ってかかる必要があるでしょう。なにしろフェイクニュースかもしれません。近年は情報の正確性や透明性を改善する対策としてファクトチェックが注目されています。

笹原和俊著『フェイクニュースを科学する』(DOJIN選書)から定義を見ていきましょう。

ファクトチェックとは、発信された情報が客観的事実に基づくものなのかを調査して、その情報の正確さを評価し、公表することです。ファクトチェックの対象は、政治家や有識者などの発言やニュースやインターネットの記事などの事実関係を含んだ言説です。意見は真偽判定ができないため、ファクトチェックの対象にはなりません。

『フェイクニュースを科学する』　１６２ページ

日本でも新聞社や民間機関が情報に対するファクトチェックを行っています。それ自体は有益なことですし、今後も続けていかなければいけないのですが、もはや現代はフェイクニュースの波状攻撃下にあるので、追いついていない面があります。まさに偽情報の洪水がジャーナリズムを押し潰している状態です。大統領選挙のときも、ロシアから流される虚偽の情報が連日大量に出てくるので、チェックが追いつかないのです。

そしてファクトチェックは、その偽情報を信じてしまった人全員に届くわけではありません。偽情報は大抵がセンセーショナルなものですから、一気に拡散され伝播していきます。しかしその後に繰り出されるファクトチェックはタイミングも遅くなってしまいますし、もとの偽情報を信じ込んでしまった人には大抵届かないのです。なんとももどかしい話です。

人間誰しも間違いはありますし、早合点して情報を発信してしまったり、内容をろくに確認せずにリツイートしてしまうこともあるでしょう。僕も気をつけていますが、今も今後もゼロとは言えません。その際は訂正して謝りますが、なかには訂正も謝罪もしない人がいます。そんなのが結構なフォロワー数を抱えていたりするので困ったものです……。しかし人間にもいろいろいるので、まずは自己防衛が大事になってきます。

◆国語能力の向上こそ必要ではないか

この章でも陰謀論を中心に見てきましたが、少しでも引っかかる人を減らすためには、地道な国語能力の向上こそ大事なのではないかと思います。何かを判断するためには、まず判断材料を読んで理解する必要があります。しかし現代人は理解するところで挫折しているのではないかという指摘があるのです。

新井紀子著『ＡＩ vs. 教科書が読めない子どもたち』（東洋経済新報社）で、著者の新井氏は日本人の読解力についての大がかりな調査を実施したことを述べています。それによると、中高生の読解力は危機的な状況にあり、なんと多くが中学校の教科書の記述を正確に読み取ることができていないというのです。

日本の教育体系は、時代に対応して小さな変更は繰り返していますが、大枠では変わっておらず、今の中高校生が前の世代の人々と比べ突出して能力が劣るとは考えられません。つまり、中高校生の読解力が危機的な状況にあるということは、多くの日本人の読解力もまた危機的な状況にあるということだと言っても過言ではないと思われます。

『ＡＩ vs. 教科書が読めない子どもたち』１３９ページ

日本は大丈夫かと心配になってきますが、それでもＯＥＣＤが実施している学習到達度調査では、日本の学生が読解力部門で連続してトップ10に入っているのです。ですから決して日本の中高生が世界に比べて劣っているということではありません。ただそれでも教科書の文章が読めない程度の読解力の人々が世の中に一定数いるというのは押さえておくべきことでしょう。
読解力が不足するとどうなるのか。問題が理解できないわけですから、そこから正解を導き出すのが困難になります。新井氏は「教科書に書いてあることが理解できない学生が、どのようにすれば自ら調べることができるのでしょうか。自分の考えを論理的に説明したり、相手の意見を正確に理解したり、推論したりできない学生が、どうすれば友人と議論することができるでしょうか」と指摘していますが、まさにその通り。読解力は全ての根底にあるものなのです。

新井氏はこんなエピソードも披露しています。あるテレビ番組で、海水浴場にいた女の子にクイズを出しました。問題は「○は熱いうちに打て。さて、○に入る言葉は?」というものです。答えは当然「鉄」なのですが、4人いた女の子は知らなかった様子です。そしてあーでもないこーでもないと言い合っていますが、その推論はあらぬ方向に向かいます。一人の女の子は「悪ではないか」と言いだし、自説を述べたのです。すると別の女の子も「そうかも」と同調したそうです。さらにほかの2人も同調して4人で声を揃えて

「悪」と答えますが、残念ながら不正解。この話に新井氏は驚愕したと言います。

私が驚いたのは「悪は熱いうちに打て」という珍答にではありません。答えを知っている者にとっては珍答である解答が、それを知らなかった４人にとって、一番確からしい解答になっていく過程に驚いたのです。つまり「推論」が正しくできない人ばかりが集まって、グループ・ディスカッションすると、このような事態に陥ってしまう危険性が高いことを思い知ったのです。

前掲書　２０２ページ

これは陰謀論にも通じるのではないでしょうか。読解力がなく、推論のできない人たちが集まって議論したところで、おかしな方向に行ってしまうだけなのです。まずは物事をどう理解するのか、その読解力が大事になってきます。

能力は急激に上昇するものではありませんが、まずは新井氏の著書『ＡＩ vs. 教科書が読めない子どもたち』と続編の『ＡＩに負けない子どもを育てる』（東洋経済新報社）をお薦めしておきます。

第4章　限界系のヤバい人にならないために

◆だまされずに情報社会を生き残るには？

前章まで、現実に発生した陰謀論や事件とその顛末、そしてスマホが普及した今日、情報はより強い戦争のツールになっているということを見てきました。

私たちの豊かな日本を維持していくためには、まず国民一人ひとりが怪しげな情報に流されないことが大事になってきます。

そこで第4章では、情報に流されるヤバい人にならないために僕が気をつけていることを指摘していこうと思います。どれも聞けば「普通」のことばかりだと思います。しかしその「普通」こそが情報過剰時代には必要なのです。

・余裕を保つ

特定の変な考えや情報に流されないためにまず大事なのは、健康状態だと考えています。特に疲れているときは情報収集すること自体を控えるのが無難です。疲れているときは、思考も投げやりになっていて正常な判断ができないことが多々あります。

かのオウム真理教も、「修行」と称して信者を極限まで疲労困憊させた状態に置き、そこで教義を吹き込んだからこそ、スッと頭に入ってしまったのです。これはオウムに限らず、あらゆる宗教団体や一部企業でもあることでしょう。研修と称して疲れさせるからこそ思考が鈍って意味不明の教義が入り込んでしまうのです。

ネット上の情報で変なものに引っかからないためにも、まずは適度な睡眠をとるべきでしょう。そうすればおかしな主張にも引っかかりにくくなるでしょう。世の中には「寝てない自慢」をする人がいますが、あれは最高にダサいことで、自ら思考力が衰えていることを告白するようなものです。

・自分自身を疑う視点を持つ

この世において、自分ほど疑わなければいけない存在はないと思います。というのも、この世界は皆、自分が主人公ですし、あらゆる事象において自分に都合のいい解釈をしてしまうものです。

そして、そうした基準で世界を見ているわけですから、自分と違うことを言う人は「間違っている」と思いがちです。確かに間違っている場合もあるのですが、自分本位ゆえに自分が間違っているということも多々あります。そして間違っていたとしても、それを認められないのが人間なのです。

僕自身10年間YouTubeをやってきて、いろんな人との関わりを通じて、やはりこの業界のこともそうだし、社会の仕組みについても考えれば考えるほどわからなくなるし、知れば知るほど何かについて断言できなくなってくるものです。だからこそ、常に謙虚に自分を疑いつつ発信していきたいものです。

「自分を信じろ」という言葉がありますし、それもその通りだと思います。自尊心、自己肯定感がないと何もできません。ただそれを前提にしたうえで謙虚に自分を疑い、「もしかしたら自分は間違っているんじゃないだろうか」という観点は常に押さえておきたいものです。

米大統領選挙のときも何度も「自分が間違っているんじゃないか」と思いました。ただ何度調べても明確な証拠があるわけでもありませんし、自分を疑ったうえで発信をしています。疲れることではありますが、これはユーチューバーにとって必要な作業です。

・誰が言ったかではなく、何を言ったかが重要

人間は権威に弱いものです。

ロバート・Ｂ・チャルディーニ著『影響力の武器』（誠信書房）に、有名な「ミルグラム実験」について書かれているので、紹介しておきましょう。

ミルグラム教授は「記憶の実験」として参加者を集めました。参加者Ａが研究室に着くと、実験服を着た研究者と同じ実験への参加者Ｂがいます。実験は「罰が学習と記憶に及ぼす影響を明らかにする」ものと研究者から説明され、参加者の２人は「学習者」と「教師」に分けられます。学習者は記憶をテストし、教師は学習者が間違った場合に罰として電気ショックを与える役回りです。そして間違えるたびに電気ショックは強くなっていくというのですから、実験参加者は心配になります。一体どれくらいの痛みが与えられるのか心配になって研究者に聞いてみると、「痛みを感じるかもしれないが、体に痕が残るほどではない」と言います。
くじを引いて、参加者Aは「教師」役になりました。教師役は別室から学習者に問題を出し、間違った場合は電気ショックを与える役回りですから、その通りに実験を進めていきます。

最初はいいのですが、誤答が増えるにつれて電気ショックは強くなっていきます。当然教師役は学習者が心配になってくるでしょう。それでも実験を続けていると、学習者は助けを求め、金切り声を上げるほど苦しんでいる様子がインターホン越しに聞こえてきます。では一般参加の「教師」役は途中で実験をやめたのかといえば、そうではなかったのです。

実験服を着た研究者に言われるがままに、実験に「教師」役として参加した40人のほぼ全員が、最後まで仕事を投げ出さなかったと言います。実は実際の電気ショックは流されておらず、「学習者」役の参加者Bは演技で金切り声を上げていたのです。

この実験の真の目的は「何の罪もない他者に対して、苦痛を与えるように指示された場合、普通の人はどの程度まで苦痛を与えようとするのだろうか」を調べるものでした。実験服を着た研究者という「権威」に人は簡単に流されてしまったのです。

権威は日常生活においても頻繁に感じてしまうものです。例えば私たちは「肩書」に弱いですよね。ナントカ大学の教授ですとか、そういった偉そうな肩書を示されたうえで話をされると、とりあえず「そういうものか」と考えてしまいがちです。

大抵はそれで間違いないのですが、ナントカ大学の教授でも専門分野以外はデタラメということが多々あります。テレビを見ていると、エラい肩書の人がコメンテーターとして発言をしていますが、専門外の分野にまでコメントをしている様子が日々見られます。これには十分気をつけたほうがいいでしょう。万能な人間なんていませんし、専門以外のこと（たまに専門分野でも意味不明なことを言っている人もいますが……）は話半分に聞いておくのが無難です。

結局は誰が言ったかではなく、何を言ったかで判断しないといけないのです。誰が言ったかで判断するのは思考的にはラクです。なにしろ考えなくていいですからね。しかしそういう発想になってしまうと、ただの信者のようなものなので、思考は常に巡らせておきたいものです。

ちなみに権威の法則は「実際に権威を持っているか」ではなく、権威がありそうな「雰囲気」でも成立してしまいます。

例えば服装です。これも影響力の武器に出てくる話で、テキサスで行われた実験があります。研究者がある31歳の男性に交通法規を無視するよう依頼しました。2つの異なる衣装を用意し、信号を無視して道路を横断させたのです。最初の衣装ではスーツを、もう一つの衣装は作業着を着てもらい、何人が男性の後をついて信号を無視するのかを観察しました。するとスーツ姿のときについてくる人は、作業服のときと比べて3・5倍になったというのです。

本当にちょっとしたことなのですが、服装で人を判断してしまうというのはあると思います。仕立ての良いスーツを着ていると、「できる人」に見えてしまうでしょう（実態は別として……）。ふと思い出しましたが、ＹｏｕＴｕｂｅにマルチ商法がやっているイベントの様子がアップされていたのですが、そこに映る若者たちは皆、ピシッとしたスーツを着ていたのが印象的です。装飾品もギラギラのものをつけていますし、こういうほうがだましやすいんでしょうね。

権威の法則は自然なかたちで私たちの脳内で認識を作り上げていきます。それに抗い、「誰が言ったかではなく、何を言ったか」で判断するのが大事なのです。

・支持者であっても信者になってはいけない

ネットの普及で、それ以前では知り得なかった論者や著者を知ることができるようになりました。そこから本を読んだり動画を見たりして、特定の論者や発信者のファンになったり支持者になるのはよくある話です。

しかし支持者ならいいのですが、「信者」になるのは危険です。その段階になると、見えないものが見え、聞こえないものが聞こえ、支持する対象が批判されたときには論理的にむちゃな擁護をしてしまうものです。

万能な人などいませんから、どんな論者も間違えることはあります。その時は訂正するなり謝罪したらいい話です。しかしある程度著名だったり、肩書がある論者ほど、それをするのが難しくなってきます。政治に関する論者であれば、支持者とともに一定数の批判者を抱えています。何か間違ったことを言ったり、トンデモな説を唱えると、批判者も熱を帯びてくるわけですが、支持者か信者かでその批判に対する向き合い方が変わってきます。

支持者であれば、批判者の意見にも耳を傾け、「指摘の部分は理解するが、誹謗中傷はよくない」といった反応になるでしょう。しかし信者は違います。

おかしなことを言った支持対象には何も言わず、批判をした人物を徹底的に批判します。信仰の対象を守る防衛本能でやっているのでしょうが、そうやって暴れ回っていると、結果的に信仰対象を貶める結果になるのです。「なんだ○○の信者はこんなにバカなのか。

それなら信仰対象である〇〇も相当やばいやつだろうな」となってしまいます。ネットではよく見る光景ではあるのですが、やめたほうがいいでしょう。

信者になってしまうというのは思考を放棄するということです。せっかく人間に生まれて大きな脳を備えているのですから、それを「反応」だけに使うのはもったいないことです。

平たくいうと「是々非々で考えましょう」ということですが、実際にはこれがものすごく難しいことなのです。僕自身が日々鍛錬です。

・好き嫌いで見え方は大きく変わってしまう

自分は理性的だと思っていても、実際はそうでもありません。何か物事が起きると、やはり好き嫌いの判断が先にきていることに気がつきます。

これは先ほどの「支持者になっても信者になってはいけない」の続きになりますが、支持している対象（好き）の善の部分は過大に評価し、悪い部分は過小評価してしまいがちです。

例えば好きな対象が何かやらかしたときは「きっと何らかの事情があるはずだ」「そもそもフェイクニュースじゃないか?」などと疑ってかかるでしょう。しかし普段から嫌いな対象であれば、「やっぱりあいつはろくでもないクズ野郎だな」とか「ほかにも悪行をしてるんじゃないか?」など、疑いもなく乗っかってしまうものです。それが人間というものなのですが、そういう心理を理解したうえで物事を考えて行動しないと、判断を誤ることがあるでしょう。

こうした現象はアイドルファンに顕著かもしれません。スキャンダルを起こしたときに「○○さんがそんなことをするわけがない!」などとツイートする光景を何度も目にしましたが、一体その対象の何を知っているというのか?

熱狂的なファンで、何度もライブに足を運んだり、握手会に行ったことがあったとしても、結局は他人だし遠くからしかわからないのです。人間は近くの家族ですらわからないことがたくさんあります。それなのに「好き」のフィルターで知らない人間を過大評価しているのです。

遠目にはきれいに見えても実態は全く違うかもしれませんし、逆に遠目にはぶっきらぼうでも、実際に会ってみたら物すごい謙虚な人だったということもあります。実際にはわからないものです。

・そもそも「中立」は目指さなくていい

個人レベルの話ですが、何かを考えるに際して「中立」は難しいので、そこまで意識する必要はないと僕は考えています。

何かに偏っていると、それ自体が批判の対象になるものです。政治の思想だと右寄りとか左寄りとか、そういう尺度で測られることは多々あります。ですが「真ん中」がいいのかと思えば、それもなかなか難しい話です。

中立は大事ですが、人間は環境や思考法、性格によって何かしらかの偏りを持っているものなのです。僕の場合は次章以降で詳しく説明しますが、「ライトなライト」という立ち位置で物事を考えています。

偏りや歪みはあるものだと認めることが、中立に少しでも近づくのに重要なことではないでしょうか。そもそも何が中立なのか、それを測ること自体が難しいのです。ですから変に意識して悩むより真ん中から少しずれたところで思考していると理解したほうがラクだし、変に悩まずに済むでしょう。

・間違ったときに認める勇気を

恥ずかしい話ですが、僕はこれまで何度も間違いを犯してきました。動画を制作するうえで認識を間違えていたり、細かいところでいえば漢字を読み間違えたり……。特に重要な認識の間違いに関しては、訂正するための動画を作成するようにしています（申し訳ないですが、漢字の読み間違いレベルでは動画は作成しません……）。

そうしないと長期的に信用を失うと僕は考えています。ただこう言っておいてなんですが、僕自身訂正するときには「脳が拒否反応を示している」と感じています。これは発信者の立場として思うのですが、発信内容に関しては完璧でありたいという願望があります。それがあるからこそ、間違ったときでも認め難いという心理が働くのです。

今後も何か間違えたら同じように認めたくないという考えが頭をよぎるでしょう。そしてそれは多分生涯続きます。ただ認めないとモヤモヤ感が残りますし、動画の場合は公開しているので、ずーっとその件でネチネチと指摘され続けることになるでしょう。それよりは脳が一瞬不快になるけれども潔く訂正したほうがラクですし、正しい姿勢なのではないかと思います。

人間には一貫性の法則があるので、仮に認めないままだと、間違った方向に進み続けてよりおかしなことになってしまうことも考えられます。先述の『影響力の武器』に「コミットメントと一貫性」という項目があります。内容としては次の通りです。

ひとたび決定を下したり、ある立場を取る（コミットする）と、自分の内からも外からも、そのコミットメントと一貫した行動をとるように圧力がかかります。そのような圧力によって、私たちは自分の決断を正当化しながら行動するようになります。そして自分が正しい選択をしたと自分に言い聞かせるだけで、本当に、自分の決定に対する満足度が上がるのです。

『影響力の武器』　97ページ

僕が間違ったときに「脳が拒否反応を示している」というのは、まさにこの現象からくるものでしょう。

本来、一貫性を保つというのは悪いことではありません。むしろ好ましい態度と言えます。しかしそれは自分が間違いを犯したときにも適用されてしまいます。困ったものです。一貫性を保つことで、間違った方向に進んでいても「自分は正しい」と勘違いしてしまうのです。

一貫性の原理が働くのに重要なのは「コミットメントさせる」（立場を明確にさせたり、公言したりさせる）ことだといいます。僕自身の間違いで考えると、動画で公言することがそれにあたるでしょう。

また、現代人は何らかのＳＮＳで自ら発信しているでしょうから、Ｔｗｉｔｔｅｒのつぶやきですら「コミットメント」になってしまうのではないでしょうか。

この原理は悪用されることもしばしばです。『影響力の武器』に出てくる朝鮮戦争における米軍捕虜のエピソードはとても興味深いものです。

中国はコミットメントと一貫性の法則を使って、米軍捕虜から望ましい承諾を引き出していたことが明らかになっています。米軍は捕虜になった際、名前、階級、識別番号以外はしゃべらないように教育されていました。ですから通常ですと、軍事情報を聞き出したり、逃亡計画を密告させるというのは至難の業でしょう。そこで中国はまず小さなことから始めて、大きくしようとしたのです。

たとえば、捕虜たちはしばしば、非常に穏やかで、一見とるに足らないような反米的、あるいは親共産主義的な意見（「アメリカ合衆国は完璧ではない」「共産主義国では失業問題は存在しない」）を述べるように求められました。しかし、ひとたびこうした小さな要求に従ってしまうと、次にはそれと関連した、しかしもっと本質的な要求にも応じなければならない羽目に陥ります。中国人の尋問者相手にアメリカ合衆国は完全ではないと認めると、どういう点でそう思うのかを指摘するように求められます。それを説明すると、今度は「アメリカの問題点」リストを作成し、そこにサインするよう求められます。（中略）さらにその後、自分の書いたリストを元にして、それらの問題点をもっと詳しく論じた作文を書くように求められるのです。

中国人はその人物の名前と作文を、彼がいる捕虜収容所だけでなく、北朝鮮にあるほかの捕虜収容所にも、さらに南朝鮮に駐屯しているアメリカ軍にも送られている反米ラジオ放送の中で紹介します。突然、彼は自分が利敵行為を行う「協力者」になってしまったと気がつきます。作文を書いたときには脅迫も強制もなかったのはわかっているので、多くの場合、そうした状況に陥った人は、実際に行った行動や「協力者」という新しいレッテルと一貫するように自己イメージを変えてしまい、しばしば、もっと協力的な行動をとるようになりさえするのです。

前掲書　117ページ

小さいところからどんどん引き込まれて、いつの間にか「協力者」になり、今度はその一貫性を保つために利敵行為を行う……。これは現代の悪徳商法やマルチ商法でも活用されている心理でしょう。

数年前のことですが、街を歩いているときに僕自身マルチ商法の勧誘を受けたことがあります。正確に言えばその場で勧誘を受けたわけではなく、まさにコミットメントを誘うものでした。

スーツ姿の男女二人組が近づいてきて、「このへんに美味しいラーメン屋はありませんか？」といったような、本当にちょっとしたことを聞いてくるのです。都内の駅前で誰もが怪しいと思うでしょうが、このような聞き方だと警戒感が解けて、多少会話することになってもおかしくありません。なかなかうまいやり方だなと思います。そうして話していくうちに店に行って食べた感想を伝えたいからＬＩＮＥのＩＤを教えてくれとくるのです。まさに一回コミットメントしてしまったからこそ、通常は知らない人には教えないであろうＩＤを教えるというところまで行ってしまうのです。

試しにＬＩＮＥＩＤを教えてみると、続々と「充実しているアピール」が届きます。一回も返信していないのに、次々とアレをやったコレをやったとくるのです。これは典型的なマルチ商法への入り口なので、十分に注意する必要があるでしょう。

原理を知っておくと、もし自分が判断を迫られるときに「あっ、これはコミットメントと一貫性の原理が働いているな」と認識して、考えることができるでしょう。

・「真実」は簡単には見つからない

世の中は複雑です。日本国内でも1億2000万の人がいて、世界に目を向けると80億人……。それぞれが各々の経済活動を営み、食べて暮らしています。

おそらく一生かかっても、この世界の100分の1も理解できないと思うのです。日本のことも全部はわからないのに、隣国であろうと他国のことはわからないし、さらに遠い中東やアフリカともなるとチンプンカンプンです。しかしそういうものだし、無理に理解をする必要もないだろうと思います。でも人間はわかってないと落ち着かない生き物でもあります。モヤモヤ感が残るのが嫌だから「答え」を求めるのでしょうが、その答えは簡単には見つかりません。

本書では陰謀論を散々批判していますが、一方でそうしたモヤモヤを解決した気にさせるのが陰謀論であるのは間違いありません。

複雑な世界を考えてモヤモヤしたところに「これが世界の真実です」とものすごく単純化したうえで、わかりやすい敵を示し、だからあなたの生活がよくならないんですと引き込んでいきます。計算式をすっ飛ばして、答えだけを示すので、とてもわかりやすいのです。本来は計算式があって答えを導き出すものですが、最初に答えが合って、後から計算式を捻り出すので、大抵の陰謀論には矛盾やツッコミどころが出てきます。

前の章でも書きましたが、マスコミが報じないはずの闇の組織がネットで簡単に見つかるのがおかしいのです。それにこの世界をコントロールなんてとてもできません。一国ですら難しいのに、それを世界単位でっていうのは飛躍しすぎなのです。

わからないからこそ不安になって、答えを陰謀論に見いだしたい気持ちは理解できます。しかし別にわからなくてもいいのではないでしょうか。少しずつですが、自分のできる範囲で少しずつ知って考えるという過程こそが本当は大事なのです。

ちなみに、大抵の陰謀論はそれを発信している人が儲ける仕組みができています。ＹｏｕＴｕｂｅでやるなら再生数で稼いだり、秘密の情報を教えるとか言ってメンバーシップに加入させたり、オンラインサロンに入らせたりします。ほかにも高額なセミナーや謎の健康食品を買わせようとしてくるパターンもあります。それらには十分にお気をつけください。

当たり前ですが、そんなもので世界の真実なんてわかりませんし、そこにお金をかけるくらいなら、図書館に行って本でも読んだほうが健全です。

・異なる意見をみる勇気、認める勇気を持つ

何かに偏るというのは、思考しなくていい分ラクな行為です。ただ偏った方向の意見ばかりに付き合うと、もっと偏っていくのは当然の話でしょう。そこで大事になるのは、あまり精神的には気持ちいい行為ではないけれど、自分とは異なる意見をみるということです。根本的に合わない人間や媒体の意見をみるのは気持ち悪いものです。そしてそんなものに時間を使うこと自体もったいないと考える人も多いでしょう。しかしそうした時間こそ、思考するうえでは大事なことなのです。

感情的に罵るだけの人の声は聞く必要がありません。みるべきなのは理性的な反対意見です。世の中どんな意見にも反論や問題点があるものです。そこを突いている人がいたりするので、丁寧にみてみるともともとの論理をより昇華させることができるでしょうし、反論された場合の再反論にもつながるでしょう。

一方、批判は常に正しいわけではないですし、意味不明の批判や、論点がそもそもズレているものも多く見受けられます。そういうものには流されてはいけません。

反対意見をみた結果、自分のほうに大きな問題があった場合もあるでしょう。その時は認めて修正したらいいのです。

日々情報を集める際も、比較して考えるのがいいでしょう。僕の場合、新聞は主に朝日新聞と読売新聞を読んでいますが、論調がまるで違います。いちばんわかりやすいのは社説でしょう。政権与党に対する見方、原発についての考え、対外的な向き合い方、どれも違います。常にどちらかが正しいというよりは、どちらも何かの問題に対して賛成なり反対なり、もしくは明確に主張していなかったりいろいろなのですが、見比べたうえで検討したらいいのです。

僕の考えは読売新聞に近いことが多いのですが、朝日新聞の主張や批判、問題点の指摘にも、もっともだと思うことがあります。それらを考慮して読んでいくと、理解も深まるでしょう。

新聞を2紙取ると、その分お金もかかってきますから、まず気楽に比較をするなら社説だけ読むというのもありでしょう。これだとインターネットで無料でみることができます。

・一周回って新聞はいいぞ

インターネット全盛の時代にあって、紙媒体の新聞はもはや時代遅れな感があります。情報のスピードは遅く、ネットは即ですが、新聞だと夕方や翌朝になってしまいます。それに締め切りがあるので、やはり情報のスピードとしては少し遅いものになります。

ただ僕自身この複雑な社会を考えるうえで、新聞も捨てたものではないと考えているのです。散々新聞を批判してきましたし、朝日新聞の慰安婦報道のような誤報、捏造報道も各社とも少なからずやってきました。しかし日々新聞を読んでいると、もともとの情報の打率はいいのです。ネットは情報が早いのですが、フェイクニュースもたくさん存在します。また、情報の出どころも不明なものが多く、それの確認をするのに時間がかかるので、整理に忙殺されることがあります。

新聞の誤報は一つやると大きくピックアップされるので、人々にイメージとしてこびりついてしまうのですが、毎日数十ページある記事の元情報は基本的にその通りなのです。大体おかしくて批判されるのは、ベースとなる事実関係に対する新聞社の解釈であったり、解説の部分なのです。

新聞は一晩寝かせている情報だからこそ、じっくり腰を据えて整理することができます。また、朝刊を読むのはたいてい朝です。まだ眠い目をこすっているかもしれませんが、疲労困憊した深夜よりも情報を整理しやすい時間帯でしょう。この章の冒頭に余裕を持つことの重要性を訴えていますが、その余裕がある時間帯こそ朝なのです。

スピードではどうやってもネットに敵いません。しかし新聞は遅いメディアだからこそできる深掘りした記事を書いていくべきでしょう。

・情報媒体の性質を考える

近年はＹｏｕＴｕｂｅをはじめとする動画媒体の影響力が高まっています。従来の新聞やテレビも残り続けるでしょうが、影響力はネットの登場と動画サイトの影響で分散しているのが現代社会です。

ＹｏｕＴｕｂｅには多数の「教育コンテンツ」が存在します。これまで知り得なかった産業や歴史、お金の話まで多くの動画が投稿され、人気を集めています。

ですから近年は「ＹｏｕＴｕｂｅで勉強している」という人も見受けられますが、ちょっと注意したほうがいいでしょう。僕自身ＹｏｕＴｕｂｅをやっていてなんですが、ＹｏｕＴｕｂｅに投稿される動画は誰が作っているのかもわからないものが多いですし、そもそも情報の出どころが明示されていない場合もあって、本当なのか判断できないものが多数です。人間は事実でなくても動いてしまいます。特に映像媒体でわかりやすく示されると、全く根拠がないのに「そうなのか」と考えてしまう人がいて、だからこそ陰謀論も影響力を増しているのでしょう。

特にＹｏｕＴｕｂｅの場合、再生数が伸びれば伸びるほど収益につながるので、再生数を稼ぐために情報を盛ったり、事実ベースだとしても魔改造したかたちで発信している場合があります。それを「事実」と受け取るのは危ない行為でしょう。

米大統領選挙のときにも思いましたが、世の中には平気で嘘をつく人がいます。デタラメを流しまくったうえで開き直り、なんとも思わない人間が存在するのです。さらにあるネタ群の再生数が上がると見るや、有象無象のユーチューバーたちがそれに乗っかってさらにカオスになっていきます。

収益というフィルターで考えてみると、テレビにも似たような傾向はあるのではないでしょうか。テレビだとＣＭを流すスポンサーがいて成立するビジネスモデルなので、大スポンサーが何かやらかしたときには追及が甘かったりすることは考えなければいけません。
要は何事も鵜呑みにしないということを心がける必要があるのです。

・「裏情報」にご用心

人より何かを知っていることに優越感を感じるのが人間です。だからこそ「裏情報」に皆、引き寄せられていくのでしょう。

しかし裏情報ほど、怪しいものはありません。なぜなら確認できないケースがほとんどだからです。大抵それは口で言うだけで、裏付けとなるような物的証拠は提示されません。ですから本当かどうか全くわからないのです。

そもそも裏情報を教えるという人物には別に売っているものがあります。裏情報を示唆して有料のセミナー（高額なことが多い）や連続講座に誘うのです。もしくは健康系のエセ科学分野だと、よくわからない高額な水を買わせようとしたり、健康にいいという高額な健康食品を販売しています。

勧誘の文句としては、例えば「マスコミが決して報じない世界の真実」「政府が隠す〇〇問題の裏側を特別にお教えします。私は殺されるかもしれません」とか、「インテリジェンスと深いつながりを持つ私が、特別に皆さまに世界の真実を伝えます」などと言って、人の心を惹きつけようとするのです。

また、自分を大きく見せるために裏情報を示唆するパターンもあります。「ＦＢＩから聞いた」とか「政権中枢がこっそり教えてくれた」のような話はホラだと受け取るのが無難です。その支持者は「この人はそんなすごい人たちとつながっているんだ」とか考えちゃうかもしれませんが、確認できない話です。根本的にそんな人物がいるのかもわかりません。それに、そんな簡単に情報をペラペラしゃべるような人に重要人物が情報を流すでしょうか。常識的には考えられない話です。唯一可能性があるとしたら、口の軽い人物だと見込まれて逆にけしかけられているパターンです。つまり情報を拡散したい人物や団体が、おしゃべりな人物にあえて情報を流し、支持を得ようとする手法です。これはある意味Ｗｉｎ-Ｗｉｎの関係性と言えるでしょう。

情報を拡散したい団体や人物は情報を拡散できてハッピー。情報を拡散する人物は自分が特別なのだと自覚でき、承認欲求が満たされるうえに支持者に持ち上げられてハッピーです。ただ、どちらにしろ確認のしようがないので、ホラ話だと流すのが無難でしょう。

裏情報にハマって「目覚めた」とか「覚醒した」という人もいますが、それは寝ぼけているだけです。そうした怪しい情報を出している人物、または団体に食い物にされるだけになってしまうでしょう。

重視すべきは、真実かどうかがわからない裏情報ではなく、公開情報です。公的機関の発表や新聞を読むほうが、情報の出どころがわかっているから大事なのです。

・日付のチェックは欠かさない

Ｔｗｉｔｔｅｒをやっている方は、別の人の投稿をリツイートしたり、自分の意見を表明しつつ引用リツイートしたり、「いいね！」をしたりしていると思います。

Ｔｗｉｔｔｅｒは情報が速いので、いろんなニュースもシェアされていますが、スピードが速いＴｗｉｔｔｅｒだからこそ、一歩立ち止まって考えることが大事になってきます。

特に衝撃的な見出しのニュースこそ立ち止まって「本当か」と考えるべきです。近年はニュースサイトっぽく作られたまとめサイトがあるので紛らわしいのですが、ヒットさせるためにかなりあおったり、全然事実関係が違う見出しになっていることがあります。記事を見ず、勢いでリツイートする人もいるでしょうが、その前にしっかり確認しておきたいところです。

また記事を確認するうえで「日付を確認する」ことも大事になってきます。その確認を怠ると、数年前の記事に憤慨するということも起こりうるのです。例えば「○○党の○○議員が、またこんなことを言っている。とんでもないやつだ」というコメントとともにあるニュース記事が投稿されていたとします。ところとしては大手新聞社で、発言自体は事実でした。ところがその発言は数年前のことで、今さら問題にするようなものかというケースがあったりするのです。ただ意外とその手の古い情報も確認されずどんどんシェアされていく事例があるので、読者の皆さんは十分に注意していただきたいと思います。

うっかり確認せずに勢いでシェアしてしまうと、「いつの話題やってんだよｗｗｗ」とあおられることになるでしょう。

・世の中に万能はない

適度な睡眠、適度な食事、適度な運動。健康を維持するうえで、当たり前に考えることでしょう。でも人間は怠惰な動物なので、万能なものを探してしまいがちです。そしてよくわからない健康食品を買ったり、変な水を買ったりするのです。

世の中には健康系のニセ科学や陰謀論がはびこっています。それらにだまされて大金を使ってしまわないように注意すべきです。

左巻健男著『陰謀論とニセ科学』（ワニブックスＰＬＵＳ新書）に健康系ニセ科学にだまされないために心がけるべきポイントが列挙されているので紹介しましょう。

・たったひとつのもので、あらゆる病気が治ったり、健康になったりする万能なもの

はない
・お金がかかり過ぎるのはおかしい
・ネットや本などでまともな情報を調べてみると意外に有益なものがある（中略）

ニセ科学あるいはニセ医学でだまそうとする商品には、その説明にいくつかのキーワードが見られます。「波動」、「共鳴」、「抗酸化作用」、「クラスター」、「エネルギー」、「活性」や「活性化」、「免疫力」、「即効性」、「万能」、「天然」などです。

『陰謀論とニセ科学』　２２９ページ

科学的な雰囲気を醸す用語がちりばめられると、ちょっと科学に弱い人はだまされてしまうことでしょう。なぜこんな話を紹介したのかというと、対象は違えど、政治の陰謀論も同じ手法だからです。

陰謀論にありがちな「世界を支配する闇の組織」のような万能性を、まず疑ってかからなければいけません。複雑な社会だからこそ、単純化せず地道に考えていきましょう。健康の話も繰り返しになりますが、適度な睡眠、適度な食事、適度な運動。それしかありません。

・いちばん大切なのはバランス

この章でもいろいろと書いてきましたが、とにかく僕が伝えたいのはバランスが大事だということです。人間は完全な中立なんてあり得ないものの、その中でいかにバランスを取るのかが大事です。バランスを取るうえでは、意見が異なる人の発信を見て、自らを省みることが大事です。そして同じ人間同士でつるみすぎないというのも重要でしょう。

ＴｗｉｔｔｅｒをはじめとするＳＮＳでは、基本的に自分が好意的に見ている人ばかりをフォローすると思いますが、それこそが人間を極端な方向へ誘う要因になります。自分と同じ方向性の意見を見るのは気持ちいいし、特にＳＮＳは余暇に見ている人が多いので、わざわざ嫌いな意見を見たくないのはわかりますが、たまには違う意見を見ていかないと、認識が歪んでしまうのです。

同じ考えの人同士で意見交換をし続けると、エコーチェンバー現象も顕著になってきます。前出の『多様性の科学』から引用します。

エコーチェンバー現象は、この信頼に関わる人間の隙に付け込んで、歪んだフィルターをかける。反対派の意見は徹底的に攻撃し、反対派自身には人身攻撃を行なって、その人物もろとも信憑性を徹底的に貶める。そうやって逆に自分たちを正当化する。反対意見やその根拠となるデータは、考慮の上で価値がないと判断するのではなく、見聞きした瞬間にはねつける。

『多様性の科学』２１７ページ

これはネットに関わってきて本当にあるある現象だと痛感しています。自分が熱狂の渦の中にいると、そこが気持ちよくて外が見えなくなり、その外側を強烈に攻撃するのです。しかも最後にあったようにデータを示されても内容を見ず、はねつけるというのもよく見る光景です。

僕自身が、某議員批判、米大統領選挙、さらに新型コロナウイルスの蔓延からワクチン、ロシアによるウクライナ侵攻までさまざまな事象を通じて、極論が蔓延するなかでよりバランスをとっていかなければ日本が危ないという危機感を強めています。

動画を始めた当時は、今よりかなり極端な主張をしていたので猛省しますが、やはり重要なのはバランスです。あえて心地いい場所を離れて俯瞰して見ることが必要ですし、それを多くの日本人が実践しない限り、日本でも米議会襲撃のような事件が起こってしまうのではないかと考えてしまうのです。

バランスで言うと、情報媒体もバランスよく見るといいのではないかと思います。極端になって「新聞は全部ウソ」とか書いてしまう人もいるのですが、そんなことはありません。ネットも新聞もテレビも、それぞれの良さがあり、同時に欠点もあります。それを理解したうえで付き合っていくといいのではないでしょうか。

第5章　ＳＮＳで精神を病まないために

◆現代を生き抜くために大事なSNSとの向き合い方

ＳＮＳの発達は、私たちに多くの利益を与えてくれます。今まで絶対に会ったり意見を交わすことがなかったであろう人とつながったり、そこから新しい関係性が生まれたり。しかしいい面も多く存在しますが、一方で使い方に気をつけないと精神を病みます。

僕自身米大統領選の頃はかなり精神的に参っていました。ただそれでも活動を続けてこられたのは次に挙げるような要因を考えていたからです。精神を維持できなければ、思考にも影響を与えます。情報を精査できなくなったり、そもそも情報の選択を誤ったり……。宗教も精神状態が危ういときにスッと入り込んでくるものです。ネットを使わないというのは不可能なので、現代社会を生き抜くためにどのようにＳＮＳと向き合っていくのかのヒントを示していこうと思います。

・そもそも無理してSNSをやる必要はない

もはやインターネットに触れずに生活するのは不可能に近い時代になってきましたが、

ＳＮＳについては無理にやる必要はないと心得ておくといいでしょう。友達がやっているからとか、それで流される必要はありませんし、自分がやりたいならやればいいし、やりたくないならやる必要はありません。僕は仕事に絶対必要ですし、なんだかんだ好きでやっていますが、仕事に関係ないなら無理をしてまでやる必要はないでしょう。

ＳＮＳはアカウントがあるだけで「何か投稿しなきゃ病」を発症してしまうのです。何を隠そう僕自身「何か投稿しなきゃ病」を患っています。これがあるから余計な投稿をして批判を浴びることもしばしば……。

基本的にSＮＳの成長戦略はいかに余計な投稿をしないのかが大事になってきます。良い投稿はすぐに忘れられますが、悪い投稿や炎上案件は長く残るし、人々の記憶にこびりつきます。けれども「何か投稿しなきゃ病」があるので、必要最低限以上のことを書き込んでしまうのです。

そして「いいね！」は麻薬です。1を得ると10欲しくなり、10を得ると１００欲しくなるものです。別に「いいね！」でお金を稼げるわけではないのですが、評価されること自体が自己承認欲求を満たすものなので、のめり込んでしまう人は多いと思います。

このへんのバランス感覚が難しいですし、僕自身が修行中の身なので、自分自身を戒めたいと思います。

・まず光にスポットを当てる

物事を考えるうえで、どこに焦点を当てるかによって受け止め方は大きく変わるものです。２０２０年末から２０２１年の初めにかけて、米大統領選の余波で精神的に参っていましたが、精神崩壊のようなことにはなりませんでした。それはやはり視聴者の方の存在が大きかったと思っています。


いわゆるアンチ的な意見というのは、言い回しが強いので目立ちます。例えば真っ白な部屋に小さな黒いシミがあったとしたら、全体を占める面積では圧倒的に白い部分が広いのに、ちょっとした黒いシミが気になってしまうものです。コメントも同じように全体から見ると少数だとしてもアンチの意見は目立ってしまうものです。

ただ、それでも見てくれて高評価が多いような動画であれば、応援してくれる人がそれ以上いるということでもあります。精神状態を維持するには、そこにスポットを当てて、見るべきなのです。

あと基本的なコメントの性質として、応援より不満があるときにコメントを残すものだというのは覚えておくべきでしょう。人間を大きく動かすのは負の感情です。例えば面白いテレビ番組があったとして、毎週「今週の放送は面白かったよ」とテレビ局に電話する人は稀でしょう。それよりも電話をするのは「あの演出はなんだ！」「こんなもの流すべきじゃない」といった負の感情が湧いてくるときなのです。

それは人間の性質なので、仕方ないと割り切りつつ、サイレントな応援者にこそ注目すべきであり、大切にすべきです。

・Ｔｗｉｔｔｅｒで議論しようと思ってはいけない

ネットは双方向のやり取りが魅力です。しかし媒体によってはやり取り自体を控えたほうが無難ということもあります。僕が最も議論に向かないと思うのはＴｗｉｔｔｅｒです。１４０文字という制限があるから、要点のみに絞って書かざるを得ないですし、そうなると意図せずして言葉が鋭くなってしまいがちです。そしてお互い曲解を生じて、議論というよりただの罵り合いになってしまうというのがオチでしょう。
特に政治関連の話題では、応援には感謝のコメントや「いいね！」を返す一方で、個別の話題で議論をするというのはやめるのが無難です。大抵は何も解決しないままに終わってしまいます。

特にいきなり暴言で突っかかってきたり、大量の「ｗｗｗ」をつけてくる人と向き合ってはいけません。向こうから突っかかってきたものに関して無理に返す必要はないのです。最初の時点で人としての問題が見えるので、いくらネット上とはいえ関わらないのが無難でしょう。もはやネットは誰でもアクセス可能です。クラスに一人、街に一人レベルのヤバいやつがゴロゴロいるのです。もちろんそんな人たちばかりではないのですが、そういうとんでもないのがいるというのを前提で考えると、いざというときに多少落ち着いて対応できるでしょう。

その手の人に何か強烈なことを言われると、「そんなに自分はおかしいんだろうか……」

と考えてしまうこともありますが、世の中には平気で常軌を逸した暴言を吐く人がいると
いうのはまず認識しておくといいでしょう。ヤバいやつは確実に存在しますし、そういう
人は熱心にいろんな人に暴言を吐いて回っています。

変に突っかかってくる人がいたら、Ｔｗｉｔｔｅｒの「ミュート」や「ブロック」を活
用するのも一つの手です。このあたりの運用は人それぞれ異なるでしょう。その違いは次
のようなものです。

ミュートは、指定した対象の人物のツイートが自分に表示されなくなる。あくまでこち
らの画面に表示されないだけで、こちらの投稿などは見ることができる。要は粘着質な人
が何度もツイートしたところで、こちらには全く見えないので、対象者はただ時間を浪費
するだけという状態になる。

ブロックは、ミュートと同様に、指定した対象のツイートが自分に表示されなくなる。
さらにミュートと違って、対象者はこちらの投稿も見ることができなくなる。

微妙な違いなのですが、僕はミュートを多く使っています。一部はブロックも使うのですが、ブロックするとおかしな捉え方をする人がいまして……。

基本的に突っかかってくるのは、ちょっと面倒なタイプが多いので、ブロックすると「あいつは俺のことをブロックしたwww俺に反論できないからだろwww俺の勝利」などと勘違いしてツイートしがちです。特に政治家ともなるとブロックの運用で批判されることが多いのですが、政治家も人間なので、精神状態を維持するためにブロック機能を使うのは本人次第でいいでしょう。

このあたりは実際にやりながら、自分に合う方法を見つけるしかありません。

・SNS上の情報で人と比べない

SNSを見ていると、みんな充実した生活を送っているように見えてしまいます。特にInstagramはその典型で、いかにリア充やっているかをアピールする場になっていないでしょうか。

そのような他人の日常と自分を比べて、「あの人はいつも充実してるな。美味しそうなもの食べて、旅行もして……それに比べて自分は……」などと考えてはいけません。基本的にＳＮＳはいい場面しか投稿しないものです。そして静止画であれば、ある程度演出することもできますし、「本当の日常」なのかはわかりません。今はアプリによる加工も凄まじいものがありますし、インスタの投稿なんて詐欺みたいなものです。

大事なのは自分を持つということです。他人がどうであれ、自分の価値観を大切にしましょう。

・不満は裏アカではなくチラシの裏へ

ＳＮＳで複数のアカウントを作成している人は結構多いと思います。これはＳＮＳ戦略を考えれば、アカウントごとの専門性を高める意味で有効でしょう。複数やりたいことがあって、一つ目はカメラについてのみ、二つ目はキャンプについてのみといったように、アカウントを分けると見る側にとってわかりやすくなるでしょう。

それはいいのですが、人によってはメインのアカウントと鍵アカウント、いわゆる「裏アカウント（裏垢）」を持っている人もいるのではないでしょうか。これはやめておけと言いたいのです。

そこに誰かの文句を書いたり、日ごろの恨みつらみをぶつけたり、不適切な写真を投稿するのは危険でしかありません。鍵アカウントで相互フォロー同士でしか見られない設定だとしても、その相互フォローの誰かが外に流す可能性だってあるでしょう。あくまでもネットにつながっていることを認識しないといけません。

恨みつらみはネットにつながっていない紙のノートとか、チラシの裏にでも書いておきましょう。それなら滅多なことがない限り流出することもないでしょう。

誰しも日々の生活のなかで、イライラが募ることもあるでしょう。その発散手段として、人にあたってはいけません。イライラしたらまずノートを開いてイライラの原因を書き出し、思いつく限りの罵詈雑言を加えればいいのです。それで解決です。

・言葉が激しいグループには近寄らない

類は友を呼ぶと言いますが、これは本当だと思います。僕もいろんなグループの方とやり取りをしてきましたが、やはり誰に影響を受けているかで、その性質がまるで違うのです。

ＳＮＳはフォローしたり、されたりすることで似たような人とつながりやすくなっています。そして似たような人のツイートを見て、知らず知らずのうちに影響され、自分自身も同じような論法を使うようになっているのでしょう。そのようなフワッとしたグループの人たちは、何か議論を巻き起こすような論点に対して、集団で突っかかってきて、同じ論法で攻めてきます。変わるとしたら暴言のレパートリーくらいでしょうか。

たとえ誰のファンになってもいいですが、言葉が激しい論者には警戒すべきです。そこから影響を受けると、自分もいつの間にか同じような口調で人に当たるようになります。僕もジャンル的にさまざまなものを批判しますが、言葉が激しい言論人のファンは、とても激しい口調で当たってきます。呼び方もいきなり「お前」だったりしますが、こんなのは実社会ではありえないことでしょう。ネットだからと乱暴な口調になるのは十分に気をつけるべきです。そしてそもそも言葉が乱暴なグループには近寄らないのがいいでしょう。この手の人たちは常に何かに怒っています。精神衛生上もよろしくないですし、別の穏やかな人たちと絡んだほうがまだ健全です。いや、究極ネットをやめて本でも読んでいたほうがよほど文化的な生活が営めるでしょう。

・**人を変えようと思わない**

人を変えるというのはとても難しいことです。特にＴｗｉｔｔｅｒでそれをやろうと思ってはいけません。文字数が限られていますし、時間の無駄になることが多いでしょう。その手のやり取りが趣味だという人は止めませんが、基本的に人を変えることはできないと心得ておくべきでしょう。変えられるとしたら自分自身だけです。

フランスでベストセラーになったジャン＝フランソワ・マルミオン編『「バカ」の研究』(亜紀書房)にこんな記述があります。

バカを説得しようとしたり、考えを改めさせようとしたりしても無駄だ。必ずこちらが負けてしまう。たとえば、バカを更生させるのが自らの義務だと、あなたが信じたとする。その時のあなたは、バカがどのように考え、行動すべきか、わかっているつもりになっているだろう。あなたと同じようにするのが正しいと思い込んでいるだろう…。でもほら、実はその考え方こそバカなのだ。これでとうとうあなたもバカの仲間入り。その上、世間知らずだ。相手に勝てると思い込んでしまっているのだから。さらに悪いことに、相手を更生させようとすればするほど、バカはますますレベルアップする。「自分は不当に妨害された被害者だ」、「やっぱり自分は正しかったのだ」と、バカを喜ばせてしまうだけだ。

『「バカ」の研究』　８ページ

はい。私がバカです。これは本当に耳の痛い指摘でしたし、「あるある」と頷いてしまいました。説得を試みてこちらも言葉が激しくなり、いつの間にか論点がすり替わってその激しくなった言葉を非難されるみたいなことになってしまうことがありました。

基本的な価値観が違う人は世の中にたくさん存在します。ですから、話し合った結果お互いの論理を認め合うことはできるでしょうが、どちらかの意見に引っ張るのは難しいですし、だからこそ特に政治の分野に限らずケンカになりがちです。

「話せばわかる」という人もいますが、そういう人に限って「話してもわからない」ものです。「話せばわかる」という人は、すでに最初の段階で自分の価値観が固定されがちなので、その価値観からずれるような思考は許してくれません。人間は理解し合えないものです。

いちばん話の通じないのが、そもそも前提が間違っているタイプの人間です。ある論点に対して、事実関係が間違っている人とはどうやっても議論が食い違ってしまいます。議論といっても最低限1＋1＝2といったように、前提は共有できることを確認できないと難しいでしょう。そういう人もいるのだと思って割り切るしかありません。

ただ自分自身が実はただの迷惑な人である可能性も考えておかなければいけません。そういう点で先ほどの『「バカ」の研究』から再度引用したいと思います。

自らをバカと自覚できるうちは、バカはバカになりえない。残念なことに、バカはバカであるがゆえに、自分のバカさ加減に気づける知的能力を備えていない。これこそが〈個人の認識論〉の盲点であり、場合によっては大きな悲劇をもたらしかねない。バカはバカであることの利点を知っており、論理的な人間の攻撃から身を守るすべを知っているという点で、バカから遠いところにいる。

バカは同一性の法則の中に閉じこもっているので、物事を別の視点から見る能力を事実上備えていない。つまり、自分以外の人間、とりわけその分野について自分以上によく知っている者の視点に立つことができないのだ。こうした現象は、この研究に貢献した社会心理学者たちの名をとって〈ダニング＝クルーガー効果〉と呼ばれる。

前掲書　１８６ページ

これも大事な観点です。自分にとって自分は当然特別な存在ですから、過大評価してしまいがちですが、それこそ認識を誤らせる可能性を持っているのです。認識を誤ってしまうと、とんでもないモンスターとして迷惑がられることでしょう。

ところがバカは、どうやら隣人に迷惑をかけずにはいられないらしいのだ。

バカはわたしたちを苦しめるだけでは飽きたらず、自らの素晴らしさを誇示しようとする。バカは決してブレない。ためらいなど一度も感じたことがない。絶対に自分が正しいと信じて疑わない。そのおめでたさには、ほとほとうんざりさせられる。自らの確信を、大理石に刻まれたように確固たる真実だと思いこんでいるが、実際は砂の上に築かれた城のようにもろい知識にすぎない。ニーチェは「人を狂わせるのは疑いではなく、確信だ」と言ったが、わたしはむしろこう言いたい。「疑いは人を狂わせ、確信は人をバカにする」
前掲書　8ページ

あるあるです。ただそれは自分自身なのかもしれないと常に認識し、考え続けるというのが大事なのだろうと思います。

この話を読んで、米大統領選挙のときにアメリカ人の共和党支持者でトランプ支持を表明していたケント・ギルバートさんが、トランプ氏が主張するような大規模な不正選挙論に乗らなかったため、日本の一部のトランプ支持者は「ケントはわかってない」という趣旨の批判をしていたことを思い出しました。「いや、何もわかってないのは最近トランプ支持者になった君たちだろう……」と思いましたが、ケントさんにそんなことを言ってしまう人たちの自信はどこからくるのかと……。

しかしこれは重要な示唆を与えてくれるものでもあります。普通に考えてありえないだろうと思われる発言も、彼らにとっては「正義」なのです。自分が正義だと思えばなんでもやってしまうのが人間です。時にそれが狂気になり、破壊行為をしたり、人を殺したり……。恐ろしいものです。

・間違ったら早く訂正したほうがラク

人間誰しも間違いはあるものです。特に発信の重要部分の数字が間違っていたとか、それ故に結論がおかしくなっているとか、そんなのは人間だから仕方がないのです。そんなときはすぐに認めて訂正・謝罪するのが大事です。

人間は間違いを認めたくない生き物なので、スルーしてしまいがちなのですが、早めに訂正したほうが気がラクになります。その問題にけりをつけて精神的なしこりがなくなりますからね。

しかしたまに間違っていないことや、読み手が曲解して謝罪を求めてくることもあるので、そういうのはスルーしましょう。

間違い・訂正の関連でいうと、図らずもネットで炎上してしまう可能性が現代では誰にでも存在します。大体どの媒体でも定番なのは、「自分に非がある場合は訂正＆謝罪からのしばし謹慎」です。炎上するとチャンネル登録者やフォロワーが減ることもありますが、そこで謝罪して謹慎した後にまた復活することもあります。特に炎上中は何を言ってもどうにもならない時期があります。たとえそれが正論だとしても、炎上の渦中では「自己弁護」と捉えられることもあるので、謹慎期間を設けて時間が解決してくれるのを待つ以外にないという現実もあります。

◆SNSで突っかかってくる人の特徴

ＳＮＳでおかしな人に影響されて精神を病まないためには、どのような反応があるのかを知ることが大事だと思います。僕自身いろんな経験からありがちなことを書いてみます。

まず突っかかってくる人はそもそもこちらのことを嫌いだというケースが多いです。一度敵認定されてしまうと、何を書いても粘着的に突っかかってくるのですが、そういうのはそもそも不毛なので、先述したようにミュート、もしくはブロックしておくのがいいと思います。では、なぜ嫌われるのかという話ですが、大抵は突っかかってくる人にとって「気持ち悪い」ことをこちらが言ったからでしょう。

例えばある論者について、僕が批判したりすると、その人の支持者（大抵信者レベルにどっぷりハマっている場合が多い）が、大挙して押し寄せてきます。これまで書いてきたように某議員の支持者であったり、米大統領選挙のときはトランプ支持者がそれに当たります。支持している対象を守るための防衛反応として、こちらに突っかかってくるのでしょう。

僕の体感ですが、粘着的にくるのは明確に反対の思想の人というより、ある程度思考のグループが同じタイプの人が多いです。「異端は異教より憎し」なのでしょうか。そして論理より感情を前面に押し出してきます。それゆえなかなかわかりあうことができません。

ではさらに特徴を羅列していきます。

・そもそも何を言っているかがわからない

変に突っかかってくる人は国語能力の怪しい人がとても多いです。こちらに文句を言っているのはわかるけど、文章としてよくわからないものを平気で書いてきます。第３章の最後でも書きましたが、人間にとって国語能力はとても重要です。別に高度なものではなく、中学校レベルの国語能力で全然問題ないのですが、それすら怪しい人がいます。Ｔｗｉｔｔｅｒは反応のＳＮＳなので、思いつきでパッと書いてしまいがちですが、少し時間をかけて内容を考えれば、多少は違ってくるのではないかと思います。

あと、何を言ってるのかがわからないうえに、謎の自分ルールで通してくる人もいます。かつて句読点を全然使わない人がいました。そういう主義なのかどうかわかりませんが、誰かとやり取りするつもりがあるなら、読みやすいように句読点くらいちゃんと打つべきでしょう。その時点で自分勝手すぎます。

このあたりを擁護的な視点で捉えてみると、「スマホの操作ヘタ説」はあると思います。最近スマホを買ってＴｗｉｔｔｅｒにもチャレンジし始めたけど、いかんせん入力に慣れていないため、おかしな文章になってしまう……。いや、それでも通じないような日本語にはならないか。

何を言ってるのかまるでわからないけど、自信満々というのもあります。こちらに「勉強不足だ」と指摘してくることも多々ありますし、それは謙虚に受け止めて勉強をしなければいけません。ただそれを指摘する人々は全く根拠不明の偽情報に踊らされているのですから目も当てられません。

・話をそらしがち、人間性を批判しがち

突っかかってきたものに対して、こちらが「こうですよ」と返信することもあります。すると大体話をそらしてくるのもあるあるです。基本的に返信しても泥仕合でしかないのですが、やはり挑発されると返信したくなっちゃうのが人間なのです。こちらの指摘に対しては、全然違う話題にすり替えて逃げようとします。もしくは論で対抗するのが厳しいと判断した場合は、こちらの人間性を批判してきます。

論とは関係のないところで、やり方が悪いとか言い方が悪いとか……。もうどうしたらいいのかわかりません。あとは変な妄想から批判してくるケースもよくあります。例えばある論に対して、「それは根拠が不十分だ」といえば、「ＫＡＺＵＹＡは金のために擁護している」といったように全くつながりのない批判を展開してきます。それに対して反論すると「必死だなｗｗｗ」などと返してくるので、呆れて天を仰ぎます。これはまさに米大

統領選挙のときにあったことなのですが、ほかにも「バイデンを擁護しないとYouTubeが消されるからKAZUYAはバイデン支持者になった」という意味不明の妄想もありました。一度もバイデン支持など表明したことがありませんし（というかトランプ支持だと言っていただろう）、根拠不明のデタラメ話をしなければ、YouTubeが削除されることもありません。全てが妄想なのに、一部界隈は本当に真面目に信じ込んでいたのが恐ろしすぎます。

・「切り取り」万能説

突っかかってくる人は大抵何かに信仰的関心を寄せているので、信仰対象を批判すると猛烈に批判をしてきます。僕が某議員批判をしたときも、むちゃな擁護が多数ありました。

僕は某議員の突拍子もない発言、確認できないような話の類いを批判したのですが、彼の一部支持者は「文脈で見ろ」とか「切り取りだ」と言ってきます。しかしまず発言自体は事実で、文脈で見たって明らかにおかしいことを言っているのです。それなのに信仰対象への「好き」が強すぎてまともに捉えることができないのです。

さらに「切り取りだ！」で思考を停止して、頭の中では問題が全て解決してしまう人もいるのです。この手の人とは思考の前提が違うので、永遠にわかりあうことができないでしょう。そっとミュートしておくのが無難です。

・「常識だろ」みたいなノリで陰謀論をフカす

僕が「ディープステートが世界を操っているような言説には根拠がない」というと、「ディープステートは常識だろ。お前はそんなことも知らないのか」のようなノリで批判してくる人がいます。もはや住んでいる世界が違うとしか言いようがないのですが、人によって見えないものが見えたり、見えるはずのものが見えなかったりするようです。

しかし、この常識だろ的なノリの論法にだまされてしまう人もそれなりにいるのではないかと考えてしまいます。全然常識じゃないことでも、常識であるかのような雰囲気で話すと、まさかとは思いつつ一方で「本当かな？」と考えてしまうものです。現代はネットで検索したら、何かを肯定するような話は大抵出てくるものです。それが陰謀論だとしても、うまいことストーリーが作られているので、だまされてしまう人もいるでしょう。大抵はつながっていないものを強引につなげて「陰謀がある」とするのですが、もともとの人物や団体は実在するものが多いです。よく槍玉に挙がるビル・ゲイツですとか、ジョージ・ソロスは存在していますしね。ただ彼らが裏でつながっていて、世界を操っているというのは飛躍のしすぎなのです。その点を指摘したらどうなるのかといえば、「じゃあ陰謀がないという証拠を出せ」と悪魔の証明を求めてきます。もうどうにもなりません。

この章ではSNSで精神を病まないための向き合い方を見てきました。精神が疲れるという点は、政治界隈には突出したものがあるかもしれません。あまり政治に関心がない方からすると「なぜそんなに疲れるのに続けているんだ」と思うでしょう。それもその通りなのですが、精神的に疲れるけど面白いのが政治のジャンルなのです。これはもう人によるとしか言いようがありません。

しかし疲れを通り越して「病む」状態になるとまずいので、この章で紹介した最低限の心構えを持ちつつ、適度に癒やしの猫動画を見るなど、リフレッシュしながら続けていくといいのではないでしょうか。

おわりに　～10年やって明確になった「ライトなライト」という立ち位置～

本書では僕がＹｏｕＴｕｂｅへの動画投稿を始めてからの10年。特に激動だったここ２年間を中心に書いてきました。

特に米大統領選挙の影響が大きいのですが、そこからも新型コロナウイルスとワクチン接種、ロシアによるウクライナ侵攻と議論が対立する大問題が続き、改めて自分の立ち位置を見直すことになります。

僕の立ち位置は「ライトなライト」です。

おそらく聞きなれない言葉でしょう。僕の造語なので、それも当然です。「ライトなライト」とは一種の言葉遊びですが、Ｌｉｇｈｔ、Ｒｉｇｈｔとスペル違い、意味違いだけど日本語で書いたら同じ「ライト」になることに着目し、意味に深みを持たせたものです。意味合いとしては「軽い右、明るい右、明るくて軽い」という具合です。悲壮感を抱かず、明るく前向きに考えていくという意味合いもあります。

思想的には若干の右寄りであるかもしれませんが、その立ち位置からバランスを取りながら物事を見ていこうという立場です。ですから、左寄りな人がいいことを言えば褒めるし、逆に右寄りの人がトンデモ発言をしたら批判します。

それゆえに「ライトなライト」は損な生き方であるというのも理解しています。どの業界でもそうですが、うまく生きていくにはどちらかの立場に寄って、その立場から自分の立場の人間や団体、考え方を批判せず、敵対する勢力だけを批判するというのがいいでしょう。しかし「ライトなライト」は両方に苦言を述べるので、両方から嫌われます。それは仕方のないことです。

極論がはびこると社会を破壊します。それで日本が混乱すると、それで喜ぶのは敵対的な外国です。その意図をくじくためにもちょっと右から真ん中を経由してちょっと左くらいのバランス派の人たちがいかに社会の大勢を占めるかが重要になってきます。

極端な考えの人はいつの時代にも一定数はいるものです。しかしその人たちが社会の主流になってしまうのはまずいことで、日本人のバランス感覚が問われています。

しかしバランスを取ってやっていくというのは、主張のトゲが少ないということでもあります。ですからトゲがあって目立つ極論に比べて発信が難しくなるということもあるでしょう。今後も僕はＹｏｕＴｕｂｅを中心に情報発信を続けますが、地道にやっていくしかありません。そして地道に支持者を増やしていくしかないでしょう。幸いにして動画はテレビ業界と違って「干される」ことはありません。ユーチューバーが終わるのは視聴者に見限られたときです。現在34歳。今後もあがき続けたいと思います。

まだまだ影響力の輪を広げていく必要があるのですが、大体人間の影響力が大きくなりやすいのは、自分の年齢からプラスマイナス10歳くらいでしょう。その程度の年齢差であれば、思い出を共有していることが多く、例えば子どもの頃は何が流行していたとか、何を見ていたとか、そこが共感ポイントとしてあるわけです。年齢差があると育った環境が違うので、なかなか共感を得られないものです。

ですから自分と近い年齢の人には響きやすいのだろうと思います。これから僕自身年齢を重ねていきますから、響く年代も同時にスライドしていきます。そのときどきに応じた発信を考えなければいけません。

人間は変わっていくものです。「お前は変わった」と言われることもありますが、逆に何も変化のない人間はまるで成長していないということでもあります。もちろん根っこは変わっていないと思いますし、そのうえで問題意識も変化するのでしょう。僕がやるべきは今も「関心のきっかけ」を指摘することであり、さらに「極端な方向に向かわせない」ための発信が大事だと考えています。

中国の台頭、北朝鮮の核・ミサイル開発、ウクライナに侵攻したロシア……日本の近隣には危険な国ばかりです。そしてそれらの国が日本向けの情報工作をしていても何ら不思議ではありません。そのような悪意をくじき、日本を守るためにも私たちはバランス感覚を持って情報を得る必要があるでしょう。

この原稿を書いている最中、安倍晋三元総理が銃撃されて亡くなるという歴史的事件が発生しました。

憲政史上最長の在任期間を誇り、各国首脳と外交関係を築いてきた安倍氏の死は内外に衝撃を与えています。原稿執筆時点の情報だと、銃撃犯は旧統一教会（現在の世界平和統一家庭連合）に恨みを抱いており、そことつながりがあると認識して安倍元総理を自作の銃で撃ったと言うのです。これ自体論理が飛躍しています。

その後、左派界隈は旧統一教会関連の話題で持ちきりになりましたが、こちらもまた論理の飛躍が見られます。数年前は「日本会議」が自民党を支配しているかのような論が左派界隈で流行しましたが、安倍元総理銃撃事件後は旧統一教会が自民党を支配しているかのような論も見られます。手を替え品を替え……まさに陰謀論的な言説が出回っているのです。

確かに旧統一教会はこれまで霊感商法による問題や合同結婚式での騒動を起こしてきました。それは確かに問題ですし、これまでの自民党の複数の議員が支援を受けてきたのも事実でしょう（祝電を送っていたり、関連団体のイベントに出席する例は自民党議員だけでなく、他党議員でも続々と発覚しているため、自民党だけの問題とは言えない）。ですから関係性の見直しをしていく必要はあるのですが、自民党をコントロールするほどのパワーがあったのかと考えると、それは疑問です。ほかにも自民党を支援する団体はあるわけですし、票田としてより大きいところもあるでしょう。それなのに旧統一教会だけをことさらに影響力が大きいとするような言論はどうでしょうか。

このような見方をすると、左派は「統一教会を軽視している」とか「全然わかっていない」というのですが、まさに反応が米大統領選挙における一部のこじらせた右派と同じなのです。右も左もこじらせたらいけません。

最後になりますが、出版にあたっては僕の書くスピードが遅くて扶桑社の犬飼さん、近藤さんには本当にご迷惑をおかけしました。根気強く待っていただいて本当にありがとうございました。

２０２２年８月３日　ＫＡＺＵＹＡ

KAZUYA（かずや）
1988年、北海道帯広市生まれ。政治系動画配信者。2012年にYouTube、ニコニコ動画に「KAZUYA CANNEL」を開設。以来、ニュースや政治などを取り扱った動画をほぼ毎日発信している。現在YouTubeチャンネル登録者数は、67万人を突破している。著書に『超日本人の時代』（アイバス出版）、『日本国民の新教養』（KADOKAWA）、『日本人が知っておくべき「日本国憲法」の話』（KKベストセラーズ）などがある

扶桑社新書 440

日常は情報戦

発行日 2022年9月1日　初版第1刷発行

著　　者………KAZUYA
発 行 者………小池 英彦
発 行 所………株式会社 扶桑社
〒105-8070
東京都港区芝浦1-1-1 浜松町ビルディング
電話 03-6368-8875（編集）
03-6368-8891（郵便室）
www.fusosha.co.jp

DTP制作………株式会社 Office SASAI
印刷・製本………株式会社 広済堂ネクスト

Printed in Japan　ISBN 978-4-594-09197-2